JN034506

民事調停法概説

小山　昇著

有　斐　閣

序

古いことだが、昭和十六年、學生の頃、東京大學法學部綠會の綠會雜誌の懸賞論文に、兼子一敎授が、「調停について」と出題した。私はひと夏を、大連の自宅で、應募のための勉强に費した。應募者がほとんどなかつたせいか、私の作がともかく入選した。

この事情を御存じの上でかどうかは、よく分らないが、十年後の昨年、菊井維大敎授から、新たに制定された民事調停法の概説書を書いてみることを勸められた。私は、それまでの間に、調停に關心はもつていたが、とくに硏究したことはなかつた。しかし、これを機會に、菊井敎授（現在東京大學敎授、兼北海道大學敎授法經學部長）の指導を仰ぎながら、かねてから抱いていた關心の一部を滿足させることができるのは、有難いことであると思つた。

でき上つたものについては、遺憾ながら自信がない。私の努力の方向は、市民のための法律が、市民の日常的な使用物になることであつた。讀者も直ちに氣づくであろうように、この努力も成功していない。しかし、ひとつの踏石の役は果しているであろう。

菊井・兼子兩先生によつて、調停を硏究する機會が與えられたことは不思議にさえ覺える。硏究の途上生じた疑義を解明するのに菊井先生を煩わしたことは數えきれない。原稿にも眼をとおしていただき、幾多の疑點の指摘を受けた。がそれにもかかわらず、指摘された點が十分に解明されていない

のは、全く私の未熟によるものである

本書は菊井教授との共著にするというのがはじめの計畫であつたが、諸種の事情により私の書きおろしになつた。したがつて、批判は當然一切私に向けらるべきである。

最後に、本書が世に出ることにあずかつて力が大きく、したがつて、かなりの迷惑をかけた有斐閣の新川正美編集部長に、深い感謝を捧げなければならない。

一九五二年一二月二五日

北海道大學法經學部研究室において

小　山　昇

目次

附　録

序説

第一章　民事調停法以前

一　序

民事調停法は、昭和二六年六月九日法律第二二二號として公布され、同年一〇月一日施行された。それまでは、わが國においては借地借家調停法（大正一一年四月一二日法律四一號同年一〇月一日施行）、小作調停法（大正一三年七月二二日法律一八號同年一二月一日施行）、商事調停法（大正一五年三月三〇日法律四二號同年一一月一日施行）、金錢債務臨時調停法（昭和七年九月七日法律二六號同年一〇月一日施行）、人事調停法（昭和一四年三月一七日法律一一號同年七月一日施行）、鑛業法中自一二六條至一六四條（昭和二五年一二月二〇日法律二八九號同二六年一月三一日施行）、戰時民事特別法中自一四條至一九條（昭和一七年二月二四日法律六三號同年三月二一日施行）の法規があつて、民事に關する紛爭についての調停は、事件の性質にしたがつて、例えば、借地借家事件について借地借家調停法による調停というように、それぞれ別個の法律に基いて、行われることになつていた。これらの個々の法律を、家庭事件に對するものを除いて、統合して一本にしたのが民事調停法である（家庭事件の調停については、人事調停法があつたが、これは家事審判法にとつてかわられた）。そこでわれわれは、民事調停法の成立の事情を見るまえに、從來の個々の調停法が、どんな必要から制定され、どんな成果を收めてきたかを振りかえつてみたいと思う。

二　借地借家調停法

1　現代的な調停法の先驅は、借地借家調停法である。この法律は、大正一一年四月一二日法律第四一號として公布され、同年一〇月一日から施行された。この法律が制定されるに至つた歴史は、次のようなものである。

2　明治三一年の民法は、建物とその敷地とが、別個に私權の目的物となりうることにした。そこで、建物所有のために、他人の土地を利用する場合に、無權原の場合がしばしば生じえた。例えば、地主から土地を借りて、その上に建物を建てて所有していたところが、地主がその土地を他人に賣却したので、建物所有者はその土地の買主との關係では、無權原でその土地を利用することになる場合がそうである。しかも、有權原の場合でも、民法は、その權原を、地上權（民法二六五條―二六九條）と賃貸借（民法六〇一條―六二一條）の二つに限つた。

建物所有のために、他人の土地を、無權原で利用することによつて、建物所有權と土地所有權の衝突が生ずるが、その解決については、民法においては、規定は設けられず、個人主義的所有權理論に一任された。個人主義的所有權理論は、土地所有者は、その所有權の効力として、その土地の所有權の行使を妨害する建物所有者に對して、その建物の收去を請求することができると結論した。この結論は、しかし、建物取毀收去によつて建物所有者が蒙る損害が、建物の存在によつて土地の所有權の行使が妨げられることによつて土地所有者が蒙る損害よりも、大きいと評價されるときには、不當であると意識されるに至る。ここにおいて、この點を中心とする紛爭が生じた。

建物所有のために、他人の土地を有權原で利用する場合も、その權原は、地上權と賃貸借のいずれかに限られた。そこで、まず、民法施行前の借地關係がそのいずれに屬するかについて、紛爭が生じた。つぎに、民法施行後においては、人が土地利用の權原をはじめて得ようとする場合、土地所有者は、自己の土地に對して長期に互り強い制限を加える地上權の設定を肯じない。そこで、契約自由の原則の結果、建物所有のための土地の利用關係は、賃貸借關係たらざるをえない。

しかし、建物所有のためという土地の永續的な利用關係を規律するのには、民法の賃貸借の規定(民法六〇一條—六二二條)は不適當であり、このことから、多くの紛爭が生じた。

これらの紛爭の原因は、前述のように、民法の規律の結果が、社會の要求に適合しないことにある。そこで、立法的には、明治三三年には「地上權ニ關スル法律」(三月二七日法律七二號)が、明治四二年には「建物保護ニ關スル法律」(五月一日法律四〇號)が、そして、大正一〇年には「借地法」(四月八日法律四九號)が、現實の社會の要求に適合すべく、つぎつぎに制定されて行つた。一方、解釋論的には、擬制・權利濫用の法理が發達して行つた。

例えば、借地權自體は消滅しないが、家屋の所有權が他人に移轉され、しかし、この家屋の新所有者に借地權は移轉されない場合、あるいは、移轉されてもこの移轉をもつて土地所有者に對抗できない結果無權限となつた場合に對して、家屋の新舊所有者間に、借地權移轉を目的とする法律行爲が事實においては、ない場合にも、あるとみなすことによつて、新所有者を有權原と考えるに至つた(地上權に關し、大審院判決大正一〇年一一月二八日民錄二七輯二〇七〇頁判例民法一七七事件平野評釋參照)。

それでもなお、問題は殘された。例えば、建物所有者が無權代理人と土地の賃貸借契約を締結した場合、法定代理人の同意なしに未成年者と賃貸借契約を締結し、建物建築後、その契約が取消された場合、借地權設定の法律行爲自體が無効あるいは取消された場合、賃貸借契約が賃料不拂その他の事由によつて、解除された場合、などが考えられた。

3　居住のために、他人の建物を利用する關係は、明治三一年の民法によれば、賃貸借關係であり、この賃貸借關係というのは、賃貸借期間滿了後は無條件に、又期間の定めのない時はいつでも解約の申入後三ケ月以內に（民法六一七條一項二號）、借家人は建物を原狀に回復して明渡さなければならないという關係であつた。はじめから賃借權がない場合はもちろんのことである。

この民法の規整は、契約自由の原則と相まつて、建物所有者に有利に機能した。その後、日本の產業は勃興發展し、第一次大戰の勃發後は、急激に進み、資本主義化は飛躍的に行われた。それに伴つて、人口は都市に集中した。そして一方、住居を移轉する必要が多くなり、したがつて、自己所有家屋に住む形態より、他人の所有する家屋を借りて住む形態が甚だしく多くなつた。その結果、都市には、深刻な住宅難が生じた。住宅難は家賃の暴騰を結果し、家賃の暴騰は、建物を資本主義的投資の對象にした。かくして、借家をめぐる紛爭は、數において急增し、深刻の度を加えた。しかし、この紛爭を解決する基準としては、民法は、家主にきわめて有利に機能した。そのために、借家人の地位は、經濟的にも心理的にも、甚だしく不安弱體であつた。そのため、借家人同盟が結成されて、家主と險惡に對立する事例さえ生じた。

このような社會不安は望ましいことではない。又、人の生活の本據たる住居の移轉を頻々と行わなければならないことは、きわめて大きな經濟的負擔で、社會的にみても、望ましいことではない。そこで、借家をめぐる深刻化した紛爭が、より衡平に解決されることを期待して、その規準として、借家法が、大正一〇年に制定されたのである。

4　この借地法及び借家法が制定されたときに、調停法制定の議がもちあがつており、借地法借家法を審議した議會で、政府は、この點に觸れており、しかも、衆議院は借地法借家法の兩法案を可決するに當つて、「借地借家等ニ關シ爭議調停機關ヲ設置セラレタシ」との希望條件を付し、貴族院では、その附帶決議の一として、「借地借家ニ關スル紛爭ヲ簡易ニ解決スルタメニ裁判所ノ外ニ別箇ノ機關ヲ設クルコト」の一項を加え、政府はこれに對して、必ずこれに關する法律案を次の議會に提出する旨言明した。次の議會において言明どおり、借地借家調停法案が提出されたが、政府委員の提案理由によれば、借地借家調停法が必要である理由は、おおよそ次のようなものである。すなわち、一一爭の形で決定することは却つて民爭を繁くすること、ことに日本においては、訴訟の結果は勝つても負けてもついに不和の狀態になつて平和のうちに借地借家の關係を繼續することが困難になるのが人情であること、である。訴訟は長びいて時間的に不經濟であること、訴訟は費用が掛つて經濟的でないこと、などは、政府委員の提案理由中には直接には述べられていない。したがつて、政府委員が借地借家調停法を必要とした理由として特に重點をおいた點は、紛爭解決規準たる實體法が不備であつたことではなく、紛爭解決方法たる訴訟が特に缺點に滿ちていたということでもなく、訴訟による紛爭解決という方法が、日本人の性情に——近代的個人主義的權利意識が確立していないために、權利主張を快く感じない——合わないということであったということができよう。

5　ともあれ、借地借家調停法は成立しわが國にはじめて調停制度が確立され、今日の基礎がうちたてられた。そして大正一一年勅令三三九號で「借地借家調停ノ手數料等ニ關スル件」が定められ、同時に、法の附則の規定に基き、大正一一年勅令三三八號で、同年一〇月一日から、東京府、大阪府神奈川縣に施行された。

その後、大正一三年に、第四條ノ二が新設され、これに伴い第五條が一部改正され、第三二條が新設された。

施行區域も、大正一四年には、愛知縣が加えられ、昭和一四年には、廣島縣、山口縣、下關市、福岡縣が加えられ、昭和一五年にはさらに大幅に擴大され、昭和一六年には、内地全域及び樺太全地區に施行されるに至つた。

この借地借家調停法はその成立直後においては、必ずしも期待されたほどには利用されなかつた。大正一一年一〇月から大正一二年八月末までに取扱つた調停事件は計三一一件であつた。しかし、大正一二年九月關東大震災が生じて事態は一擧に變つた。すなわち、借地に關する紛爭が一時に頻發した。それは、罹災者で借家人又は借地人であつたものが、罹災跡地に引續きバラックを建てて居住することから生じた。この紛爭の解決は緊急を要するものであつた。一方、裁判機能が、この緊急の事態に卽應することはきわめて困難であつた。そこで、借地借家調停法が活用されることになつた。すなわち、東京區裁判所では、九月二五日から市内一二ケ所に借地借家調停委員會出張所を設け、裁判官二十数名、調停委員百餘名が出張して事件の處理に當つた。この機宜の措置が當つて、調停制度を利用するものが各出張所に殺到した。その日以後、翌一三年七月末までに受理した事件の合計數一一、〇〇〇件餘、そのうち調停が成立したもの九、〇〇〇件餘であつた（詳細については穗積重遠、大震災と借地借家調停法、法學協會雜誌四二卷五號參照）。

その後昭和に入つて一般物價は甚だしく低落し、いわゆる不況時代になつた。が、建築資材の價格は下落せず、租税、保険料は低減されなかつた。そこで地主、家主は、地代、家賃、敷金等の增額を行つた。しかし、借家人は、おおむね中流以下で、この階級は不景氣のために、經濟的に窮乏していた。かくして土地建物の利用關係の紛争は、利用權自體の紛争から、利用條件、すなわち、地代家賃などの金錢的、經濟的なものに變貌し、その數は急激に增加した。かつ、調停の成立率も八〇%に達する好成績であつた。これは契約自由の個人主義的原則の調整という機能を果したともいうべきであろうか。

昭和八年に滿洲事變が起り、戰爭は第二次世界大戰までつづいた。この間から終戰までは、年々借地借家調停事件受理數は減少している。戰爭が、いろいろの意味で、この種の紛争を起すことあるいは裁判所にもちこむことを躊躇させたのである。

昭和二十年終戰を迎えると、しかし、住の問題は、切實のものとなつた。極度の住宅難のため罹災及び疎開の跡地、疎開の跡家、非罹災建物をめぐる紛争はきわめて多く、かつ激しいものとなつた。その結果、借地借家調停受理件數は、昭和二三年には全國を通じて三万件に近くなつた。一方、調停の成立率は六〇%に減少した。これは、受理件數が增加したことにもよるであろうが、紛争が深刻であつたことにもよるであろう（しかし、しかも、訴訟による解決も満足なものではないとするならば、それ以上は法律の問題ではなく、政治の問題であるというべきであろうか）。

三　小作調停法

1　借地借家調停法の次に制定された調停法は、小作調停法である。この法律は、大正一三年七月二二日法律第一八號として公布され同年一二月一日から施行された。小作調停法の制定を必要とした歴史的事情は、次のようなものであるといわれている。

2　明治三一年の民法によれば、小作關係は、賃貸借關係（民法六〇一條—六二二條）か、永小作關係（民法二七〇條—二七九條）のいずれかであつた。そのために、建物所有のための土地の利用關係について前述したところと、類似の機能を營み、そのために、從來の慣習との關係から、いろいろの問題を含み、紛爭も生じた。しかし、ともかく、從來の封建的な主從の溫情關係が維持され、不作を原因とする小作料の一時的減免の要求をめぐる紛爭が時に生じても、それは一時的かつ個別的で、多數かつ大規模な紛爭が生ずることはきわめて稀であつた。しかも、第一次世界大戰の勃發後は、農産物の價格が急騰して、農村は異例の好景氣に惠まれたので、小作爭議の發生件數は、それほどの增加を見せなかつた。

しかし、これは實は、異例であり、資本主義經濟が進むと農業生産物は、商品化され、一方日本の農地は狹少で、農業は本來薄利なため、農業生産物に對して與えられる貨幣は少いので、農村は次第に窮乏して行くのが必然であつた。この必然の傾向は、第一次世界大戰の終結後農産物の價格が暴落して農家の經濟を破壞するに至つて、明瞭な姿をとつた。

そこで小作料減免の要求が起つた。しかし、契約自由の原則により、小作料の減免は、當事者の意思に委ねられた。そこで意見の不一致が生じ、それが小作爭議にまで發展した。

しかもそこに、地主小作人は主従關係にあるのではなく、平等な關係にあるという平等的對抗の思想が加わると、爭議は、單なる小作料減免の經濟的爭議に止まらず、いかにして土地を有効に利用するかについての階級的爭議の性質をも帯びるに至つた。かくして、地主小作人間の主従的溫情關係はなくなり、兩者はそれぞれ團結し、團結の力で爭うに至る。こうなると爭議はいきおい大規模かつ組織的になり、かつ長年月に亙るようになり、暴力的要素さえ加わるに至つた。その結果、爭議期間中農業生産高は落ち、農民の離村の傾向は促進され、國民經濟的見地からみても、思想的見地からみても、社會的見地からみても、望ましくない狀態に進んで行つた。そこで、このような情勢に對處するため、小作法制整備の必要が痛感され、大正九年一一月、農商務省に小作制度調査委員會が設置された。

小作制度調査委員會の調査の結果に基き、大正一二年五月新たに官制として小作制度調査會が設けられた。小作制度調査會は、政府から、一、小作調停法案ニ關スル意見如何、二、自作農維持創定ニ關スル方策如何、三、小作制度改善ニ關スル方策如何、という諮問を受けた。同調査會は、當時の日本において小作爭議が益々續發する實情にかんがみ、まず諮問第一項について意見を決定し、その後に第二項及び第三項について調査を進めることに決し、その結果、小作調停法案は、きわめて時宜に適するものであるから、すみやかに制度をたてることを望む旨答申した。

この答申に基き、政府は、小作調停法案を立案し、大正一二年第四六回議會に提出したが、衆議院において審議未了となつた。しかし、さらにこの法案は大正一三年第四九回臨時議會に提出され、この議會で成立した。

政府の小作調停法案提案理由によれば、「其後ニ於ケル小作爭議ノ趨勢ヲ見ルニ、其數ニ於テ甚シク增加致スノミナラズ、其質ニ於テ益々深刻ヲ加ヘテ、今ヤ放任シ置ク譯ニ行カナイヤウナ情勢デア」るので、この法案を出すに至つたのであり、「本案ノ實施ヲ見ルニ至リマシタナラバ、爭議紛糾ノ收拾スベカラザルニ至ル前ニ於テ、適當ナル解決ヲ得、事ヲ治ムル上ニ於テ有力ナル法則タルコト信」ぜられた。しかし、この理由からは、小作調停法案がなぜ先に作成され審議されたかが明らかにならない。すなわち、小作爭議解決案として、小作爭議解決の基準の改正を後にして、小作爭議解決の手續――しかも、從來の基準によらない解決の手續――を先に考えた理由が明らかでない。しかし、その理由は、おそらく次のようなものであつたのであろう。

民事訴訟によれば、紛爭解決の基準として民法が適用される。が、當時の民法は、小作關係に關して社會の實情に一致しなかつた。その結果、地主が民法により許された權能を實行したら、小作人から惡地主呼ばわりされた。又、民事訴訟はいたずらに時日と勞費を費し、その間の農地の利用が等閑に附されるし、訴訟に勝つても、經濟的には損失であつたということが少くない。さらに、農村の生活は土着性を特色とする。狹小な地域に土着して、日夕顏を見合いつつ日常生活を營むのが農村である。又、農村は都會に比べると、實質的には自治によつて共同生活が營まれている。その農村の村民が、集團をなして相分れ相對立して法廷に爭い、その結果、一刀兩斷的な勝敗の裁斷を與えられたときは、その後感情はますます疎隔して、農村の共同生活を維持して行くことは困難となるであろう。又、訴訟において、地主がかりに勝つたとしても、その强制執行は事實上は甚だ困難である。大勢の小作人に對して、一時に多數の强制執行をすることは、殆んど不可能である。又、可能であるとしても、その結果は、いたずらに農村に不和と無秩序とを齎すだけである。そこで民事訴訟でない解決方法が要望されたのであつた（なお詳細は、末弘嚴太郎、農村法律問題、大正一三年參照）。

3　小作調停法は、成立當初においては、當時比較的爭議の少かつた。長崎、福島、岩手、山形、秋田、鹿兒島、沖繩の各縣には施行されなかつた。が大正一五年勅令六五號によつて、長崎、福島、山形、秋田及び鹿兒島の各縣にも施行され、昭和四年勅令一四一號によつて、宮城、岩手及び青森の各縣にも施行され、昭和一三年勅令五二九號によつて、沖繩縣にも施行され、内地全域に及んだ。

小作調停事件は小作調停法施行後受理件數は漸增し、昭和一一年に最高に達し、その後漸減し、終戰直後突如急增し、その後急減している。調停成立率は七〇%から八〇%である。調停の内容は、統計的には明確にされていないが、地主が變更しても舊小作人に引續き耕作させるとするもの、滿了した契約の更新を認めるもの、債務不履行を理由とする契約の解除にある程度の制限を付加したもの、土地引上の條件として相當の作離料を認めたもの、滯納小作料について一割ないし三割の減額を認めたもの、小作料の改定をしたもの、などが比較的多かつたといわれている。

4　ところで、前述のように、小作制度調査會に對する諸問事項は、もう二つあつた。

すなわち、自作農の維持創定と小作制度の改善策である。前者については、大正一五年農林省令一五號「自作農創設維持補助規則」として一部實現した。後者については、昭和六年「小作法案」として、昭和一二年「農地法案」として、法案にまでは纒つたが、議會で成立するに至らず、昭和一三年になつて、ようやく以上の規則と法案の内容を統合した「農地調整法案」が、第七三回議會で成立した。この農地調整法により、新たに、小作官の調停申立、調停前の假の處分、訴訟事件の職權調停、調停に代る裁判、相隣關係その他農地の利用關係に關する調停などが認められ、さらに昭和二四年の改正で、薪炭林、採草地又は放牧地にも及ぼされることとなり、小作調停の制度は、いちじるしく强化擴充された。

5　以上のような法制の整備にもかかわらず、日華事變及びこれに續く第二次世界大戰の進行にともない、小作調停事件は毎年減少して行つた。昭和二〇年連合國最高司令官の「農地改革に關する覺書」及び政府の「農地改革要綱」の發表に起因して各地に地主の土地引上げが起り、そのためにわかに農地紛爭が續出し調停事件も急增した。しかし、昭和二一年法律第四三號「自作農創設特別措置法」による自作農創設の事業が進むにつれて、調停事件は急減した。

四　商事調停法

1　小作調停法の次に制定された調停法は、商事調停法である。この法律は、大正一五年三月三〇日法律第四二號として公布され、同年一一月一日から施行された。商事事件について調停制度が採用された理由は、次のとおりであるといわれている。

第一に、もし商事に關する紛爭を裁判で解決しようとするならば、費用と時間がかかる。ところが調停は當事者間の互讓妥協を本旨としていて、もともと、いずれの主張が法律的に正しいかというようなことを判斷しないものであるから、裁判のように時間も費用もかからない。そして、商事紛爭については解決に費用と時間のかかるのは大禁物である。第二には、訴訟はいわばどこまでも鬪爭であり俗にいえば喧嘩腰である。裁判は結局喧嘩の勝負をきめるものである。裁判の結果當面の爭は解決せられるけれども、當事者雙方の間に存する感情の疎隔は益〻激化される虞が多い。しかるに商取引は永續的のものであるから、ただ當面の爭が解決されただけでは眞の解決にならない。むしろ調停によつて當事者の互讓妥協を圖り、ひとり當面の爭のみならず將來永く當事者間の取引關係の圓滑を期することが望ましい。第三には、商人が商取引において爭をすることは、それ自身、ひとつの信用毀損である。したがつて、信用を主とし、世間態というものを重んずる商人には、公開の法廷で爭う訴訟は利用され難い面がある。これに對し、調停は互に讓りあい、非公開でもあるから、利用されやすい面がある。第四に、商事取引の紛爭の解決には、特殊の慣習、特殊の事情を斟酌しなければならない。法規の正條だけでは、定められないものがある。そこで、そうした特殊の慣習を知つているものが解決手續に參加したり、特殊の事情を斟酌して解決することが可能な手續が望ましい（長島毅、商事調停法解說昭和二年、第五一回議會商事調停法案政府提案理由參照）。商事調停法制定當時の制定理由はおおむね以上のようなものであつた。

2　商事調停法は、東京、京都、大阪の三府、及び神奈川、兵庫、愛知の三縣にだけ施行された。商事の紛爭についての調停は、受理件數は決して多いとはいえない。しかも年々減少してきている。

終戦後には若干増加の傾向が見える。調停が利用された事件の種類は、主として、賣買代金、約束手形金、爲替手形金、貸金などの紛爭であつたといわれる。

五　金錢債務臨時調停法

1　商事調停法の次に制定された調停法は、金錢債務臨時調停法である。この法律は昭和七年九月七日法律第二六號として公布され、同年一〇月一日から施行された。この法律の制定を必要とした歴史的事情は、次のようなものであるといわれている。

2　昭和のはじめ、經濟恐慌が全世界を襲い、日本もその影響を受けた。アメリカの不況は日本の生糸業者に大きな打撃を與え、中國の内紛と滿洲事變を原因とする日貨の排斥、インドの日本製品に對する關税問題は、日本の綿糸業者に大きな打撃を與えた。そこで日本は未曾有の恐慌に入つた。すなわち、農村においては、米價の下落、まゆ價の下落のために、生産費を償うに足りず、地主たると自作農たると、小作人たるとを問わず、いずれも生活費、肥料代、小作料その他から生じた多額の債務の重壓にあえぐことになつた。このような情況は、漁村においても、中小商工業者の間でも同様であつた。近代工業部門においても、生産の制限、賃銀の低下、不拂、勞働者の解雇という經過を辿り、勞資の對立を深刻にした。そこで、昭和五年勞農黨大山郁夫代議士から「借金支拂猶豫に關する法律案」が提出されたが、一般の賛成が得られず不成立に終つた。

しかし、國民生活の安定を圖ることは急務であつた。けれども、豫期しえない經濟界の變動の結果生じた損害を當事者に公平に負擔させる法律的な制度はなかつた。そこで不況打開の一方法として、負債の整理によつて中小農商工業者その他一般誠實な債務者に自力更生の機會を與えるために、債權者債務者互譲の道を開くことが考えられた。しかし、他方、借金棒引を法が勸奬して債務の履行が行われず、義務の觀念が薄弱になり、ひいて經濟界の健全が阻害されることが懸念された。が、ともかく以上の點が考慮されて、昭和七年司法省に開催された官民協議會において、「小額債務調停法」を制定すべきことが議決された。そして、この議決に基いて、同年八月第六〇議會において、「不動産融資の損失補償法案」「産業組合中央金庫特別融通及損失補償法案」など、一連の農村救濟法案とともに、「金錢債務臨時調停法案」が提出され、成立した。

3　金錢債務臨時調停法の實績は豫想にたがわず、施行後昭和一〇年末までの受理件數は二十五万六千件餘りに及んだ。東京控訴院管内を別にすると、當時農山漁村の疲弊の最も甚だしかつた宮城控訴院管内の申立件數が壓倒的に多かつた。事件の内容としては、五百圓以下の少額貸金債務がその約八割を占めた。手續についても、事件の半數近くは申立後半月内に、八割以上が一ケ月以内に解決された。調停成立率は七〇%餘りで、調停の内容は、債務の全部又は一部の免除が約五〇%、支拂猶豫又は割賦辨濟が約五〇%であつた。

しかし、農山漁村又は中小商工業者の多額の負債からみると、施行後三年で、この法律の趣旨が十分に徹底し、完全にその目的を果したとはいえず、昭和一〇年九月三〇日の失効日を延期することが問題として考えられた。そして、昭和九年第六九議會において、「金錢債務臨時調停法ノ一部ヲ改正スル法律案」が提出され、この法律は「當分ノ内其ノ効力ヲ有ス」ることとされた。

その後、金銭債務調停事件は、日華事變、第二次世界大戰の間に、次第に減少した。終戰後は、インフレイションの昂進などの經濟事情の下で、さらに極端に減少した。が、最近、インフレイションの收束とともに、再び、急激に増加しつつある。

六　人事調停法

1　金錢債務臨時調停法の次に制定された調停法は、人事調停法である。この法律は、昭和一四年三月一七日法律第一一號として公布され同年七月一日から施行された。

明治三一年の民法は、親族、相續の規定においては、ボアソナアドの起草になつたいわゆる舊民法と甚だしい差異はなかつた。そこで、いわゆる舊民法が受けたのと同じ非難を一部から受けた。すなわち、日本の家族制度を無視し國情にそわないと非難された。そこで、大正八年七月内閣に臨時法制審議會が設置されて、政府は、「政府ハ民法ノ規定中我邦古來ノ淳風美俗ニ副ハサルモノアリト認ム。之カ改正ノ要綱如何」という諮問を眞先に發した。

法制審議會においては、審議の途中において、家庭内部の紛爭の解決に關する特別措置の必要が議せられ、大正一一年六月に、「臨時法制審議會ハ諮問第一號ニ就キ目下審議中ノ處、我邦ノ淳風美俗ヲ維持スル爲民法ノ各部、殊ニ親族編相續編中改正ヲ加フベキ事項ニ付調査ヲ進ムルニ從ヒ、家庭ノ爭議ヲ現行ノ制度ニ於ケルガ如ク訴訟ノ形式ニ依ラシムルハ古來ノ美風ヲ維持スル所以ニ非ズ、寧ロ道義ヲ本トシテ溫情ヲ以テ圓滿ニ之ヲ解決スル爲特別ノ制度ヲ設クルノ極メテ緊要ナルヲ確認セリ。而シテ此ノ制度ノ採否ハ本諮問ニ於ケル民法改正ノ事項ニ頗ル密接ナル關係ヲ有シ、寧ロ其ノ先決問題タルコトヲ認メタリ。依テ本會ハ本諸問ノ他ノ部分ヲ審議決定スルニ先チ、豫メ前記特別ノ制度ヲ設クルノ點ニ付愼重審議ノ上、全會一致ヲ以テ左ノ如ク議決シタリ。　道義ニ本キ溫情ヲ以テ家庭ニ關スル事項ヲ解決スル爲特別ノ制度ヲ設クルコト」という中間的答申が提出された。家庭に關する紛爭の解決のための調停制度的なものの要望は、その後、あるいは、議會に對する請願建議となつてあらわれ、あるいは議員提出の法律案となつてあらわれた。

法制審議會の答申その他にもかかわらず、家庭紛爭解決の制度は、なかなか法定されなかつた。が、しかし、昭和一二年七月日華事變が勃發すると、銃後の備えを强化して戰線の將士に後顧の憂なからしめる必要上、家庭紛爭をすみやかに解決する制度が必要とされた。一方、現實にも、戰沒將兵の遺家族間の恩給、扶助料をめぐる紛爭が生じて、それらを迅速にかつ圓滿に解決することが必要とされた。

そこで、昭和一四年第七四議會に、人事調停法案が、民法の改正、家事審判法の制定と切りはなされて、提出された。この法案の制定理由の要點は次のようなものである。

すなわち、「親族間ノ紛爭其ノ他家庭ニ關スル事件ニ付キマシテハ、之ヲ道義ニ本ヅキ溫情ヲ以テ解決スルコトガ、我國古來ノ淳風美俗ト特有ノ家族制度トニ照シテ最モ望マシイノデアリマシテ、此ノ事ハ固ヨリ申スマデモナイト存ジマス。隨テ裁判所ノ調停ニ依リ當事者ノ和衷妥協ヲ圖リ、家庭ニ關スル事件ヲ圓滿ニ處理解決スル途ヲ開クコトハ、多年各方面カラ要望サレテ居タ所デアル」ることと「今日ノ非常時局ニ際會致シマシテ、家庭ニ關スル紛爭ノ圓滿ナル解決ヲ、調停ノ方法ニ依ツテ解決スル途ヲ開キマスコトハ、正ニ焦眉の急務トナツテ參ツタ」こととである。

家事調停事件の申立件数は、豫想以上であつたといわれている。事件の種類は、離婚事件が壓倒的に多く、同居請求、慰籍料、扶養料、幼兒引渡、財産分配などがこれに次いでいる。調停の成立率は全國を通じて、おおむね六〇％前後を示している。

2　昭和二〇年八月第二次世界大戰は終つた。そして昭和二二年日本の憲法は民主主義の原理の上に立つた。この憲法の下において、その他の法律、ことに民法の親族、相續法規は、再檢討を要求せられた。そこで、昭和二二年八月新憲法下第一回の國會に、「民法の一部を改正する法律案」が提出された。が、これとともに、「家事審判法案」が提出され、調停は、この法案において、第三章を占めた。この家事審判制度の一環として調停制度が存在する理由は、「由來身分關係に基く家庭内や親族間の紛爭につきまして、訴訟制度の下におきましては、夫婦、親子、兄弟、親族が互いに原告、被告として法廷に對立し、黑白を爭わねばならず、家庭の平和と健全な親族共同生活の維持を圖るという見地からは理想に反する遺憾な點があるのでありまして、家庭内や親族間の紛爭を理想的に解決いたすためには、裁判官に民間有識者を加えた機關が訴訟の形式によらないで、親族間の情誼に適合するように紛爭を處理することが望ましいことである」ことにある。しかも、「可及的に家庭事件を訴訟によらず調停によつて處理するように」するために、「調停を强化いたしまして、婚姻又は緣組の無効事件、嫡出子の否認事件等の調停におきましても、當事者間に合意が成立した場合には、必要なる事實を職權で調査した上、その合意に相當する審判をなし得ることといたしますと共に、家庭事件について調停が成立しない場合には、強制調停をもなし得る途」が開かれた（政府提案理由による）。このようにして、人事調停法は、家事審判法第三章調停にとってかわられて廢止された（家審法施行法三條）。そして、この家事審判法第三章調停は、昭和二二年一二月六日法律第一五二號として公布され、同二三年一月一日から施行された。

家事調停事件の數は人事調停事件の數の十倍を示している。他の調停と比べると、その數において第一位で、調停事件總數の約四〇％を占めている。成立率も、人事調停時代に劣らない。

七　鑛害賠償調停法（但し、こういう名稱の法典があるわけではない）

1　人事調停法の次に制定された調停法は、鑛害賠償調停法である。この法律は、昭和一四年法律第二三號として鑛業法の一部改正という形で公布された。しかし、鑛業法は、昭和二五年一二月二〇日法律第二八九號として、全面的に改正され（昭和二六年一月三一日施行）、調停の規定は、その第六章第三節和解の仲介及び調停（調停は自一二六條至一六四條）として改正規定された。

2　鑛業經營が、鑛物の採取のためにする土地の掘さく、廢水の放流、鑛煙の排出などのために、他人の財産その他に損害を與えることは少くない。そこで、プロイセン鑛業法を模範として作られた舊鑛業條例は、鑛害について、無過失賠償責任を規定していた。しかるに、この鑛業條例を踏襲した舊鑛業法は、鑛害の賠償責任に關する規定を缺いた。そこで、鑛害については、民法の一般原則によると解釋された。その結果、鑛業權者と被害者との間に、鑛害の賠償義務の有無に關し、大規模な紛爭が生じた。例えば、足尾鑛毒事件、別子銅山鑛毒事件がそうである。これはひとつの重要な社會問題でもあつたので、鑛害の賠償に關し、明文の規定をおくことは多年要望されてきた。そして、この要望は、日華事變の勃發後軍需のためにする鑛業の奬勵にともない鑛害による被害がいちじるしく增加するに及んで、いよいよ強くなつた。

そこで、昭和一二年、鑛業法改正調査委員會が設置されて、鑛業法の改正に關する意見が諮問された。この委員會は、昭和一三年に、「鑛害賠償規定要綱」と「鑛害調停規定要綱」とを可決した。鑛害に關する紛爭について、おおむね小作調停に準ずる調停の制度を採用することを可決した理由は、鑛害のように賠償額算定のきわめて困難な、かつ賠償方法についてもそれぞれの實情に卽した適宜の措置を必要とするものにおいては、調停によつて、關係者などの協力を得て、具體的妥當を期することが至當であると考えられたことによるといわれている。

この要綱に基いて、鑛害賠償調停法は、前述のように、鑛業法の一部改正の形で、公布施行された。

3　鑛害調停の申立件數は、さほど多くない。しかし、鑛害の賠償については、この法律制定前から、すでに當事者間の折衝によつて救濟金などの名稱で事實上賠償を行うことが、いわば、慣行となつていたので、鑛害調停が申立てられるのは、この慣行による解決がつかない場合であるという事情によつて、申立件數が多くないのであるといわれている。

昭和二五年の鑛業法の全面的改正においては、鑛害調停については、ほとんど變更されなかつた。ただ、仲介員の和解の仲介の制度が法規化されただけである。

八　戦時民事特別調停法

1　さいごに制定されたのは、戰時民事特別法第四章調停である。この法律は、昭和一七年二月二四日法律第六三號として公布され、同年三月二一日から施行された。この戰時民事特別法は終戰後、昭和二〇年一二月二〇日法律第四六號の戰時民事特別法廢止法によつて廢止された。しかし、調停に關する規定はなお効力を有するとされた。すなわち、「舊法第三條、第五條及第十四條乃至第十九條並ニ昭和二十年法律第九號附則第三項ノ規定ハ本法施行後ト雖モ當分ノ内仍其ノ效力ヲ有ス」とされた（戰時民事特別法廢止法律附則二項）。

2　昭和一六年一二月八日に、太平洋戰爭が勃發し、擧國決戰體制化の一方法として、民事に關する實體法と手續法に臨時應急の特例を設けるところの「戰時民事特別法案」が昭和一七年第七九議會に提出された。そして、「戰爭ノ私法關係ニ及ボス影響ハ千態萬樣デアリマシテ、之ニ適應スル個々ノ規定ヲ設ケルコトニ致シマスルト、實ニ複雜多岐ニ亘リマシテ、實ハ如何ナル規定ヲ致シマシテモ其ノ全部ヲ蔽フコトハ殆ンド不可能ニ近イト申シマシテモ過言デナイト考ヘマスルカラ、寧ロ條理ニ依ル互讓妥協ヲ基調ト致シマスル調停制度ヲ擴張致シマシテ、戰時下隣保共助ノ精神ノ下ニ圓滿ニ各個ノ事案ヲ敏速妥當ニ解決スル方カ適當デアル……」（政府提案理由）という理由から、この法案の中に、第四章として、とくに調停の章が設けられた。

この法律案は、戰時下という特殊事情もあつて、無事に議會を通過した。かくて、民事に關する紛爭は、その種類のいかなるものであるかを問わず、すべて調停によつて解決されうることになつた。

しかし、この特別調停の制度は、戰局が次第に緊迫し、さらに國内が空襲にさらされ、紛爭の圓滿な解決どころか、紛爭自體の發生の餘裕すらなくなるに及んで、他の調停とともに、その申立件數は次第に減少しつづけて、終戰に至つた。

終戰の結果、戰時民事特別法は、當然廢止される運命にあつた。しかし、民事特別調停はなお存續させる必要があるとされて殘存し、その利用率も急激に増加している。

九 なお勞働爭議調停法が、大正一五年四月九日法律第五七號として公布され同年七月一日施行された。しかし、この法律は、昭和二一年九月二六日法律第二五號として、勞働關係調整法が制定されるに及んで、廢止され(同法附則)、勞働關係調整法第三章調停がこれに代つた。この勞働爭議の調停は、しかし、いわゆる民事調停とは異なり、勞働委員會という行政的機關によりなされ、その効力も裁判上の和解と同一の効力を認められていない。したがつて、別系列乃至別種の調停として、取扱われるべきであり、したがつて、この稿においては當然除外される。

第二章　民事調停法の成立

一 第一章において敍述されたように、各調停法は、いずれも、その時々の政治的・社會的の需要に應じて、逐次制定されたものである。しかし、調停制度は、特殊の紛爭にのみ適用されるべきであるという論理的理由はない。また、現實において、わが國においては、調停制度は、大いにその機能を果して來た。そこで、戰時民事特別法によつて、調停制度が　すべての民事に關する紛爭について利用されるようになつた。そして、この點は、戰時民事特別法廢止法律によつて、廢止されずに殘つた。しかし、このように、調停制度が、すべての民事に關する紛爭に擴大されると、各個の調停法に基く調停制度が、各個に存在することは、裁判上の事務處理上からも、當事者の立場からも煩瑣に過ぎることになる。しかも、各法律の間に準用されている規定が多く、單行法に分れているために却つて、理解と利用に不便であり、又、各法律に固有の規定には重要なものが少いので、單行法として存在させておく理由に乏しい。ここにおいて調停法の整理統一が必要とされるに至つた。

すなわち、例えば、すでに昭和一五年頃、當時の大日本辯護士連合會では、調停法規統合の試みとして、民事訴訟法中に調停手續の一編を設けるものとする民事訴訟法中改正法律案を起草している。また、戰時民事特別法の制定に際し、貴族院の委員會では、「各種調停ニ付統一法ヲ制定スベシトノ意見」があり、これに對して政府當局も、「平和回復後ニ法典整備ノ問題トシテ十分ニ考慮スル」と答辯している。さらに、終戰直後の昭和二一年には、戰時民事特別法の廢止に關連して、當時の司法省民事局においてこの問題がとりあげられ、六五ケ條にわたる統一調停法案が起草されたが、實現されるに至らなかつた。一方、終戰後、社會事情は激變し、法律ないし訴訟は一時的ではあつたが痲痺狀態に入り、調停事件は急激に增加した。そこで、東京地方裁判所所屬の調停委員で組織される東京調停協會は、調停法規統合の必要を强調し、昭和二三年中から、東京地方裁判所の調停係裁判官を加えて問題を研究した上、昭和二四年はじめ「調停法規統一改正に關する意見要綱」を作成して、これを國會、内閣、裁判所までに提示してその實現を要望した。最高裁判所も、昭和二四年民事裁判官會同を開催して、この問題を協議してその準備を進めた。參議院法務委員會においても、調停制度の改善に關する調査を開始した。そこで、政府も、統一調停法の制定を企て、昭和二五年一〇月法制審議會に對して、「各種調停法規を改正統合する必要があると思われるが、その法案の要綱を示されたい」という諮問をした。法制審議會は、昭和二六年二月に調停法案要綱を答申した。そこで、この年は最初の調停法である借地借家調停法が公布施行されてから、三〇年にあたるので、至急法案を作成して國會に提出することになつた。

二　民事調停法案は、議員提出とすることになり、鍛冶良作、押谷富三、北川定務、牧野寛索の四議員の名において、昭和二六年五月九日衆議院に提出された。法案は、卽日法務委員會に付託された。法務委員會においては、各派共同提案として、次のような修正意見が出た。すなわち、原案第十條第二項は、「前項の手數料の額は、調停を求める事項の價額千圓につき二十圓をこえない範圍内で最高裁判所が定める」となつているが、その中の、「二十圓」を「十圓」に改めること。及び、原案第十二條は、「調停委員會は、調停のため特に必要があると認められるときは、當事者の申立により、調停前の措置として、相手方その他の事件の關係人に對して、現狀の變更、物の處分等を禁止し、その他必要な事項を命ずることができる」となつているが、そのうち、「現狀の變更……」を「現狀の變更又は物の處分の禁止その他調停の内容たる事項の實現を不能にし又は著しく困難ならしめる行爲の排除を命ずることができる」に改め、さらに、第二項として「前項の措置は、執行力を有しない」

を加えること、という修正案が出た。

この修正案と、修正された部分を除いた原案について採決されたところ、それぞれ全會一致で可決された(五月十六日)。そこで、修正された法案が、五月十七日、衆議院の本會議に上程された。本會議においては、法務委員長(安部俊吾)の報告どおり異議なく可決された。

衆議院本會議で可決された民事調停法案は、即日(五月十七日)參議院に送付された。參議院の法務委員會において、法律で規定すべきものを最高裁判所の規則に譲つた點が多いという理由の反對討論があつたが、採決では多數で、衆議院送付原案が可決された(五月三〇日)。參議院の本會議では、法務委員長(宮城タマヨ)の報告どおり起立者多數で可決され(五月三一日)、ここに民事調停法は成立し、施行期日も、借地借家調停法の施行期日にあわせて、十月一日とされたのである。

三 民事調停法の大綱

民事調停法の詳細は、總説及び各説に譲り、ここでは、その大綱を概觀することにするが、それは次のとおりである。

1 民事調停法は、各種の調停法を整理統合したのであるが、家事調停と勞働爭議調停とは、統合の範圍から除かれている。

2 各種の調停に通ずる一般規定と數種の調停に關する特別規定とにわかれ、その重要なものは法律で規定され、他は最高裁判所の規則の定めるところに委任され、運用上の便宜が計られている。

3 調停は、調停委員會で行うことを本則とし、調停委員會の調停に對する裁判所の認可の制度が廢止されている。

4　裁判所だけでなく、調停委員會も、調停のため特に必要があるとき、調停前の措置として必要な事項を命じうることとされ、かつその内容が明らかにされている。

5　金錢債務調停及び小作調停において認められ、民事特別調停において全調停に行われることになつた。いわゆる調停に代る裁判は當事者の合意を基礎とする調停制度の趣旨に鑑み、異議の申立によつてその効力を失うこととされている。

6　調停不成立の場合において、申立人が調停の目的となつた請求について、一定期間內に訴を提起したときは、調停申立の時に訴の提起があつたものとみなされ、訴狀には調停申立手數料に相當する印紙が貼用されたものとみなされて、誠實な調停申立人が保護されている。

7　受訴裁判所は、事件について、爭點及び證據の整理が完了した後は、當事者の合意がない限り職權で事件を調停に付することができないこととされ、調停手續によつて、訴訟が遲延することが防止されている。

8　商事事件並に鑛害事件については、特に仲裁判斷の趣旨を取りいれ、調停委員會は、當事者の書面による合意があるときは、申立により適當な調停條項を定めることができ、これを調書に記載したときは、その記載は、裁判上の和解と同一の効力を有するとされている。

9　罰則が整備されている。

総説

調停は、ひとつの國家制度であり、他面、ひとつの法律的手續である。そこでわれわれは、まず民事に關する紛爭を解決する國家の制度として、調停を他の諸制度と比較してその特徵を明らかにし、次にその法律的手續の性質を檢討し、終りにそれを規律する法規＝調停法の特質をも併せて明らかにしなければならない。

第一章　調停制度

一　調停が、どんな制度であるかについては、法一條に規定されているところを見なければならない。法一條によれば、民事調停法は、「民事に關する紛爭につき、當事者の互讓により、條理にかない實情に卽した解決を圖ることを目的とする」(法一條)。すなわち民事調停法という法律によつて、民事調停という法律上の制度が設けられたのである。制度の特質は、この制度を設けた法律の目的によつて規定される。そこで、この民事調停制度の特質は、當事者の互讓により、條理にかない實情に卽した解決を圖ることにある、ということになる。

二　**民事に關する紛爭の解決のしかたは少くない。**そのうち、法律上の制度としての解決方法だけを取上げて見ても、決して少くはない。訴訟、仲裁、和解契約、起訴前の和解、訴訟上の和解などがある。調停もその一つであるといわれている。そこで、われわれは調停という解決方法が、他の解決方法と比べて、どんな點で類似し、どんな點で異るかを見たいと思う。

三　まず、紛爭の解決に關與する人ないし機關について見ることにする。一般に、紛爭の解決のしかたを、その主體の面だけについて見るならば、當事者だけで解決する場合と、第三者が介入して解決する場合とがある。後者の場合においても、そのうちには、さらに、その第三者が私人である場合と、國家機關である場合とがある。和解契約は、當事者だけで解決する場合であり、仲裁は、私人たる第三者が介入する場合である。訴訟、裁判上の和解、調停は、いずれも、國家機關が介入する場合である。そのうち、調停は、介入する國家機關の構成において、訴訟又は裁判上の和解と異っているのは、介入する國家機關が職業的裁判官だけでは、構成されていない點に調停の特色がある（裁判官だけで調停を行うこともできることになっているが、それは法律上、例外的であり、實際上は、例外である、法五條一項但書）。すなわち、（法六、七、八條參照）。

四　次に、紛爭の解決の基準について見ることにする。そのためには、まず、訴訟における紛爭解決の基準を見なければならない。近代の國家は政治的に統一されている。この政治的統一の一方法あるいは一面として、國家による裁判權の獨占ということが要請される。しかし、それに對し、その反面として、いわゆる裁判拒絶の禁止が要請される（憲法三二條參照）。かつ、その上に、歷史的沿革的理由もあつて、紛爭解決方法としての裁判は、安定性の要請に基き、近代國家においては、法律により定められた裁判官により、法律により定められた手續により、法律により定められた基準によつて行われることが要求される。そこで、訴訟による紛争解決の基準は、法――近代的意味における――であるということになる。

ここで法というのは、學者のいわゆる實定法である。この實定法は、いろいろな姿（＝形式）で存在している。その主なものが、成文法であることは、いうまでもない。慣習法も實定法のひとつのありかたであることは、今日では、あまり異論のないところである。判例（裁判判決例）もそうであるかについては、かなり異論がある。しかし、この點は、ここでは直接に關係がないので觸れないことにする。最後に、いわゆる條理については、爭われているのであるが、多くの學説によれば、實定法が存在する形式ではない。すなわち、ここでいう法ではない。

さて、そこで、訴訟における紛爭解決の基準であるところの法は、成文法、慣習法に限られるかということが問題となる。通説によれば、適用すべき法が存在しないことを理由として裁判の拒絶をすることはできない。したがつて、法が存在しなくても裁判はしなければならない。そこでいわゆる條理による裁判をすることになる。したがつて、いわゆる條理は、ここでいう法ではないが、訴訟による紛爭解決＝裁判の基準ではある。したがつて、條理を基準として紛爭を解決することができる點では、調停と訴訟とは變りはないということができる。異るのは、調停においては、條理が法と並んで基準たりうるのに對し、訴訟においては、いわゆる法の欠缺の場合にのみ、條理を、裁判の基準とすることができる點である。したがつて、調停の、訴訟に對する特色は、いわゆる法が存在するときでも、その法によらないで、紛爭を解決することができる點にあるということができる（法による解決が、調停においては、なされえないというのではない）。この點においては、調停は仲裁制度に類似する。

そこで、次に、本法第一條にいわゆる條理について考えてみなければならない。それは、訴訟における紛爭解決の基準である條理と、異るものであろうか。

いわゆる法（法規）の欠缺の場合は、三通りあると考えられる。第一の場合は、具體的事件の裁判にあたつて適用すべき法が存在しない場合である。例えば、電話加入權の賃貸借の解約申入期間が問題となつた場合がそうである。民法六一七條は、土地、建物、貸席及び動産についてしか、存續期間の定めのない賃貸借の解約申入期間を定めていないからである（名古屋高裁昭和二三年三月一三日判決高裁民集一卷一號七三頁參照）。第二の場合は、適用すべき法は存在するけれども、具體的事件を解決するには不十分である場合である。例えばいわゆる白地規定（例えば借家法一條ノ二にいわゆる「正當ノ事由」の存する場合において、當該事件がその規定の適用を受けるべきであるが、しかしそれについてさらに問題が殘る（例えば、原告に解約の申入をなす正當な事由があるかどうか）場合がそうである。第三の場合は、適用すべき法は存在するけれども、それを適用するのが不適當なので適用すべきでないと考えられる場合である。

第一の場合には、條理による裁判をすることになる。これは一般にいわれていることである。第二の場合には、適用すべき法のわくの範圍内で、條理による裁判をすることになる。これも一般に認められている。第三の場合には、次の二つの場合が含まれている。一は當初から適用すべき法を適用することが不適當な場合である。例えば、内縁の妻が棄てられた場合である。他は、社會の實狀が變化したために、適用することが不適當であると考えられるに至つた場合である。例えば、讓渡擔保、再賣買の豫約である。この二つの場合を含む第三の場合には、法をそのまま適用すると、その結果が不當であると考えられる。例えば、十數年連れ添つた糟糠の妻が棄てられても、屆出がないということだけで、夫に對しなんら妻に準ずる地位を主張しえないことは不當であると考えられる。又、質については、質物を債務者の占有にとどめることと流質とは、禁止されている（民法三四五條三四九條）ので、讓渡擔保はこれを回避する手段とみられないことはない。したがつてそれは脱法行爲であり、本來脱法行爲は無効であるべきである。しかし他方それを無効とすることは、取引の必要上、不當であると考えられる。又、再賣買の豫約は、買戻（民法五七九條）と同じ作用を果している。したがつて、買戻について加えられる制限は（民法五七九條、五八〇條五八一條、五八三條）再賣買の豫約にも及ぼすべきである。しかし他方そのような制限を加えることは、取引の必要上不當であると考えられる。

そこで、この場合を處理しなければならないが、それには二つの考え方がある。一は、この場合には適用すべき法が文字どおり存在しないと考えることである。二は、法を解釋することによつて、できるだけ適當な解決をすることである。具體的事件の解決にあたつて、いずれの考え方をするかは、人によつてちがうであろうが、事件の性質によつてもちがうであろう。しかし、いずれの考え方をしても、實際には、結論の上に大きなちがいが生ずることはないであろう。それはともかくとして、この二つの考え方のうち、前者の考え方に立つときは、そこには適用すべき法が存在しないのであるから、條理によつて裁判をすることになるであろう。後者の考え方に立つときは、解釋によつて結果の不當を防ぐのであるが、そこでは解釋とは何かが問題となるであろう。解釋と稱するけれども、實際には、そこでは條理による裁判が行われている、そして、それによつて實質的に法の修正が行われている、と觀ることができるのである。

ところで、調停はこの第三の場合を處理するために發生したものである。したがつて調停による紛爭解決の基準たる條理は、右の第三の場合を裁判により解決するに當つて、實際上基準とされている條理と異らないものということができる。異る點は、調停においては、條理が直ちに基準でありうるのに對し、裁判においては、解釋の名においてのみ、條理を基準とすることができる點である。したがつて、裁判においては、解釋によることができない場合、あるいは解釋によることが無理であると考えられる場合には、條理を基準とすることができない。その點に、裁判において、條理を基準とすることとの限界がある。

しかし、いずれにせよ、裁判における條理と、調停における條理とは、質がちがうとは思われない。ところで、條理は、いろいろの言葉でいいかえられている。道德、自然法、衡平、健全な常識、物の道理、道義、法律の精神、社會生活における一般的な規範意識、社會通念、實驗上の法則、公序良俗、信義誠實の原則、などがそれである。これらの言葉でいい表わそうとされている內容を知るには、條理によつて紛爭を解決することが必要である場合を分析してみるのが實際的であろう。それは前述のように、適用すべき法が存在するけれども、それを適用した結果が、不當と考えられる、あるいは不當と考えられるに至つた場合である。いわば、適用すべく存在する法を適用することは、合法的ではあるが、正当でない、と考えられる場合である。したがつて、そこでは、なにが正当であり、なにが正当でないかがすでに判断されている。この判断の基準になつているものが條理であると考えられる。

條理は、判斷の基準である。基準というものは、それが、第三者が紛争を解決するためのものである場合には、客觀的なものでなければならない。したがつて、たんなる個人の主觀は條理ではない。例えば、調停委員、又は當事者の、主觀的な價値判斷によつて紛争が解決にまで導かれたときは、それは、それだけでは條理にかなつた解決とは必ずしもいえない。客觀的といつても、しかし、條理の場合は、(實定)法とは異り、ある程度具體的な、規定の形になつていないから、そのような意味において客觀的であるのではない。しかし、條理は、人間性の中に滲みこんでいるものである。そして人間性というものは、普遍的なものである。すなわち、人間は普遍的な人間性に基いて、なにが正當であり、なにが正當でないかを、本能的に知つているということができる。このような意味において條理は客觀的であり、判斷の基準となることができるのである。

又、條理は判斷の基準であるが、それは、人間の社會生活關係において生じた紛争を解決するための判斷の基準である。このような紛争は、正しく、あるいは、公平に解決されなければならない。したがつて、そこでは主として問題になるのは、なにが正當であるかである。なにが善であるか、ではない。ところで、道德はまさになにが善であるかの問題である。したがつて、そういう意味において、條理は道德と全く同じものであるとはいえない。法は、人の人に對する關係(經濟的社會生活關係が主であるが）を規律する基準であり、日常生活において、日常的な人と人とを、どういう關係におくのがもつとも正しいかということが、そこでは問題であり、條理は、それを判斷する基準であるからである。

五 次に、紛爭解決の手續について見ることにする。訴訟も調停も、裁判上の和解も、仲裁も、手續である、という點においては、共通のものを有する。しかし、紛爭解決のしかたには、判斷によるものと、處分的な作用によるものとある。訴訟は、前者に屬する。すなわち、當該具體的事件においては、當事者間にどんな具體的法律關係が存するか、あるいは當事者の有する具體的權利義務は何かについての判斷が訴訟においては行われる。これに對し、調停は後者に屬する。すなわち、當事者の間において在來の關係が變更消滅し又はしないで新らしい關係が生ずるような作用が、調停においては行われる。したがつて、訴訟手續における判決は判斷行爲であるのに對し、調停手續において成立した合意は、處分行爲あるいは權利形成的行爲であるということができる。この點においては、調停手續は、和解手續に類する。

なお、訴訟手續は、法の適用による紛爭の解決というその性質上、嚴格性、確實性という點においてすぐれている。しかし、そのために、手續の複雜、訴訟の遲延、費用の膨張という現象を生じやすい。これは、手續の現實の機能の問題である。この機能があるために、訴訟は、素人に親しまないものとなる。この點においては、調停は、訴訟に比し、紛爭が簡易にかつ迅速に解決され、費用も比較的僅少に終り、素人にも親しまれうるという機能を有する。

六　次に、紛争の解決のしかたについて見ることにする。

まず、訴訟による解決は、強制的であるが、調停による解決は強制的でなく任意的である。この點においては、調停は、仲裁とも異なり、和解に類する。仲裁においては、仲裁契約を締結するかどうかは任意である。が、仲裁契約に基く仲裁人の仲裁判斷には、當事者の意思や判斷が介入する餘地はなく、當事者は、これに無條件に服しなければならない。舊法においては、金錢債務臨時調停法以來（金調七條）、いわゆる強制調停として、調停が成立しない場合でも、裁判所が諸般の事情を考慮して、調停に代る裁判をして、強制的に紛爭を解決することができる制度があつた（戰民特一八條一九條二項）が、これに對しては、これは調停の本質に反し、かつ又法律による裁判の原則を破るという點で、批判を受けていた。本法においては、調停の任意性が一貫されている。すなわち、調停に代る決定の制度はあるけれども（法一七條）、この決定は、異議の申立によつてその效力を失う（法一八條二項）。

次に、訴訟による解決は、他律的であるが、調停による解決は、自主的である。この點も、調停が仲裁と異り、和解に類する點である。前者は、第三者の判斷に基いて與えられ、後者は、當事者自らの、處分的な合意（法一六條）に基いて與えられるからである。しかし、合意が成立するに至るまでに、第三者のあつ旋というものが存在する點においては、完全に自主的とはいえない。しかし、最後の決定權が當事者に在るという點に着目するならば、調停による解決は、完全に自主的である。

次に、訴訟による解決は、一刀兩斷的であるが、調停による解決は、當事者の互讓によるために、勝敗の問題はない。この點においては、調停は、和解に類し、仲裁にも似る。

訴訟による解決は、理非曲直の明瞭な、一刀兩斷的な、絶對的な、强制的な、勝利か敗北かの解決である。その結果、紛争が解決されたにもかかわらず、實際の感情の上で、相手方との間に、怨恨、氣まずさ、不和などを殘すことが多い。强制執行が行われたときは、なおさらである。それでは、しかし、眞の解決とはいい難い。まして、親族の間、地主と借地人、家主と借家人との間、商人と得意先との間、地主と小作人との間、使用者と被傭者との間のように、繼續的な法律關係事實關係に在るものの間においてはなおさらである。このような感情の上の惡結果は、訴訟による解決がひきおこすものである。これは訴訟という制度そのものの缺點ともいえるが、しかし、この制度を利用する私人が訴訟による解決のしかた及び結果をどう考えどう感ずるかということと相對的な關係にあるというべきであろう。調停はこの相對的な缺點を避ける點において訴訟に對比して、感情の上の惡結果を比較的ひきおこさないという特長を有する。

七　次に、互讓ということについて考えることにする。「當事者の互讓により」(法一條)とは、當事者が、訴訟においてならば、主張したであろうところの法律的な主張を、あるいは、訴訟においてならば、確定されたであろうところの權利利益を、内容的に自己の不利益に減じて、という意味である。

調停は、當事者の互讓による解決を目的とするが、互讓によらないで當事者間に合意が成立した場合も調停として無効ではないと解釋される。すなわち互讓は調停の有効要件ではないと解釋される。調停制度の存在理由は、互讓による解決だけにあるのではなく、その他に、訴訟手續によらない解決をするという點にもあるからである。

この問題については、裁判上の和解に關して判例がある。判例によれば、「訴訟防止ノ爲メニ爲サルル裁判上ノ和解ニ於テハ實體上ノ請求權ニ付當事者ノ互讓アルコトヲ必要トセズ從テ和解條項トシテ當事者ノ一方カ相手方ノ主張スル實體上ノ請求權ヲ全部容認シテ之ガ履行ヲ爲スコトノミヲ定ムル場合ニ於テモ有效ニ和解ガ成立スル」（昭和一五年六月八日民四判棄却民集一九卷一三號九七五頁）。この判旨は、學說（齋藤秀夫判例民事法昭和一五年度五四事件評釋）によつて贊成されている。贊成の理由は、次のとおりである。しかし、この和解は、請求の趣旨及び原因並びに爭の實情を示して申立がなされることを必要としているけれども、訴訟防止の爲の和解を民法上の和解と考えるならば、當事者双方の互讓はその有效要件である。しかし、訴訟繫屬前のことであるから、訴訟法のテクニカルな意味における嚴重な請求として、その限界が訴訟物ほどしかく明瞭なるものではない。ゆえに、起訴防止のための和解は、民法上の和解と異り、當事者双方が實質上各讓歩をすることを有效要件とするものでない（なお、この判旨は、永澤信義民商法一二卷六號一〇五三頁、藥師寺志光志林四二卷一二號一三七〇頁、村松俊夫日本法學六卷一二號四三頁によつても贊成されている）。

つぎに、當事者が互讓によつて主觀的に—當事者にとつて—妥當と考える合意が成立しても、それが、客觀的に、—調停機關にとつて—「條理」にかなわない內容をもつている場合には、調書に記載しないことができるかという問題が生じうる。

調停は、當事者の間を斡旋して一致點を見出しさえすればよいというのではない。調停者が事件の實情に卽した合理的な調停條項を頭において、當事者雙方を說得してこれに一致させるか、又は少くともこれに近い條件で合意を成立させるようにあつ旋することである。調停委員會が、當事者間に成立した合意が相當であるかないかを判斷したり(法一四條)、裁判所が、調停委員の意見を聞いて、調停に代る決定をすることができる(法一七條)ということは、調停の進むにつれて、調停委員會の構成員又は調停を行う裁判官の頭の中に、具體的な客觀的な調停の基準が、自ら形成されてゆくことを示すものである。したがつて、「互讓」の結果成立する合意の内容には、ある制限が加えられているといわなければならない。裁判上の和解の場合には、互讓の程度、互讓の結果たる合意の内容については、制限はなく、爭を止める合意の成立が目的である、と解釋する人は、合意の内容に對する制限の有無の點に調停と和解の相違點を見出している。

法一條に、調停は、實情に卽した解決を圖るとあるが、實情に卽したとは、條理にかない、と表裏しているものである。

八　以上のほかに、なお、訴訟における裁判は、原告の請求の全部又は一部を認容するか排斥するかのいずれかであるが、調停條項は、當事者の主張、讓步を斟酌して自由に定められうること、裁判は、原告の申立てた範圍内においてのみ事案を判斷するが、調停の範圍は當事者の申立に限局されず、當該紛爭に關連する一切の紛爭を一括解決することができること、裁判は公開であるが、調停は非公開で、世間を顧慮しないで、事件の解決に專念することができること、などが擧げられている。

第二章　調停手續

一　調停は一つの手續である。それは、國家の機關が、民事の紛爭の當事者をあつ旋して、互讓による合意が成立することを目的とする法律的手續である。それは、紛爭を解決することを目的としてはいるけれども、その解決は、當事者の主張が法律的に見て理由があるか否かを判斷することによつてなされるのではない。それは、當事者が互に自己の主張を讓つて、その結果、いわば新しい權利または法律關係を形成することによつてなされる。しかも、この場合、この形成に、國家がその機關を通じて、後見的に（あつ旋すること、合意を相當でないと認めること、などが内容についての後見的な作用であり、法律によつて定められた手續によることが手續についての後見的な作用である）關與する。私人がなす權利又は法律關係の形成に、裁判所をして（實質的には調停委員會又は裁判官）關與させ、この關與という點に國家の行爲の本旨があるという點において、調停手續は、民事訴訟手續的ではなく、非訟事件手續的な性質を有しているということができる。

本法二十二條によつて、調停に關して、非訟事件手續法第一篇の規定が準用されることになつているが、このことも、調停手續が非訟事件手續的性質を有していることを示しているということができる（なお、國の利害に關係のある訴訟についての法務大臣の權限等に關する法律八條參照）。訴訟事件と非訟事件とは、どんな點で區別されるかについては、學說が多く分れており、したがつて調停に關しても、それが訴訟事件であるか非訟事件であるかについて説が分れるところであろうが、實際の問題としては、本法二十二條によつて一應の立法的解決がなされているので、ここではこれ以上にこの問題について深入りはしないことにする。

二　調停手續において、中心をなすものは當事者の合意である。この合意がどんな法律的性質を有するかの詳細は各説第十四章に讓つて、ここではその構造を簡單に分析してみることにする。

合意の内容は調停條項とよばれる。合意はこの調停條項を内容とする意思表示の合致である。それが異つた當事者間の二個（又はそれ以上）の意思表示の相互に反對の方向からの合致であるという點においては、それは私法上の契約に異らない。しかし、調停條項とよばれる内容が成立するには、當事者だけではなく、調停委員會、又は裁判官が、積極的に、あるいは消極的に、あつ旋という作用をとおして關與している。この點に着目するならば、調停における合意は、私法上の契約と完く同じということはできない。調停條項は、當事者の自由な意志だけによつて成立せしめられるものではなく、調停委員會、又は裁判官のあつ旋という作用によつて、具體的でしかも客觀的な當爲的なものたらしめられる。したがつて、成立した調停における合意は、いわば國家機關によつて肯定されたものということができる。

第三章　調停法

一　民事調停法という場合には、民事調停法という名稱の法典を意味する場合と、民事調停手續を規律する法規の總體を意味する場合とがある。前者の場合を形式的意義における民事調停法といい、後者の場合を實質的意義における民事調停法という。

實質的意義における民事調停法は、調停を行う機關の組織、權限、その分配、當事者や參加人の能力や資格、調停手續においてなされるもろもろの行爲の、性質、要件、効果、調停手續自體の發展などに關する規定から成立つている。これらの規定は、民事調停法（典）の中に包含されているばかりでなく、非訟事件手續法第一篇の規定（法二二條）や民事訴訟法の中にも包含されている。例えば、裁判所職員の除斥に關する規定（非訟法五條）、代理權の證明に關する規定（非訟法七條―民訴法八〇條）、申立、陳述の方式に關する規定（非訟法八條―民訴法一五〇條）、期日、人證、鑑定などに關する規定（非訟法一〇條）、抗告手續に關する規定（非訟法二五條）などがそうである。

さらに、民事調停法は、調停委員及び調停補助者に支給すべき旅費、日當及び宿泊料についての規定（法九條）、調停の申立に必要な手數料の額についての規定（法一〇條）、調停手續における裁判に對する卽時抗告についての規定（法二一條）、その他手續上の細部についての規定（法二三條）を最高裁判所の定めるところに委任している。この委任に基き、民事調停規則（昭和二六年九月一五日公布最高裁規則八號）、民事調停法による申立手數料等規則（昭和二六年九月一五日公布最高裁規則九號）、調停委員規則（昭和二六年九月一五日公布最高裁規則一一號）が制定されている。これらの規則も、實質的意義の民事調停法の中に含まれる。

二　民事調停法は、國家の司法に關する法規範であり、紛爭を解決する國家機關の活動の條件、形式、効力を規定する點において、公法である。民事調停法は、當事者、利害關係人の行爲に關する規定を含んでいるが、それは、當事者が相手方に對して直接なす行爲を規定しているのではなく、國家機關に對する申立陳述の規定である、いいかえれば國家の主權に服する國民の國家に對する關係を規定したものであるから、この點においてもやはり公法である。

次に民事調停法は、民事に關する紛爭の解決を目的とし、したがつて、それは民事法に屬し、刑事法、行政法などから區別される。又、民事調停法は、私法上の法律關係を具體的に形成する手續の方法や形式を規律する法規であつて、この意味で、手續法あるいは形式法に屬する。いいかえれば、調停制度の目的を、いかにすれば、最も適正に公平に迅速にかつ經濟的に達成することができるかというつ、合目的考慮を內容とする技術的な手段的な法規である。したがつて、法規の解釋にあたつては、つねに、制度の法であること、技術的な內容を有する法であることを念頭におき、かつ、全法規を一體として把えることに留意しなければならない。

三　民事に關する手續法は、私人の利益を考慮した技術的な規範である。したがつて、國家が新しい手續法を制定した場合には、その施行のときに、ただちにその效力をすべての手續に及ぼすべきである。民事調停法は、民事調停手續を規律する手續法である。したがつて、異る特別の定めがない限り、新民事調停法が施行されると、施行後係屬した調停事件はもちろん、施行前に係屬しかつ施行後にもなお係屬している調停事件にも、新民事調停法が適用されることになるべきである（この後者の場合には、しかし、施行前すでに完成した調停法上の行爲の効力については、舊法によつて定める）。しかし、本法においては、「この法律施行前に裁判所が受理した調停事件については、なお從前の例による」（法附則一三條）という特別の定めがあるので、本法は、本法施行後に係屬した、調停事件に適用される。

四　民事調停法は、國家が、その權力に基いて、自己の權力の下にある國民の紛爭を解決する手續を規定したものである。したがつて、日本の民事調停法は、日本の國家權力の及ぶ範圍、すなわち日本の國内においてのみ適用がある。當事者の雙方又は一方が外國人であるときでもそうである。日本の國内の調停事件はすべて日本の調停法によつて處理され、外國の調停法は適用されない。當事者が外國人であるときでも、外國人の調停法上の地位は、調停法に特別の定めがない限り、日本の調停法によつて定められるから内國人のそれと等しい。

例えば、外國人の調停能力（調停において調停法上の行爲をなしうる能力）については、法例三條に特別の定めがあるので、その外國人の本國法によつて定められることになり、この限度で、外國法が準據法として適用される。

各説

第一章　調停事件

調停は、民事紛争を解決する制度であるが、あらゆる事件を民事調停手續で處理することができるわけではない。そこには一定の範圍があつて、その範圍内の事件だけが、調停手續によつて處理されうるのである。本章は、どんな範圍の事件が、民事調停法によつて處理することができるかを明らかにすることを目的とする。

一　「民事に關して紛爭を生じたときは、當事者は裁判所に調停の申立をすることができる」(法二條)のである。すなわち、調停の申立をすることができる事件は、民事に關する紛爭である。つまり、民事事件である。

二　從來は、「土地又ハ建物ノ貸借、地代、家賃其ノ他借地借家關係ニ付爭議ヲ生シタルトキ」に(借調法一條一項)、借地借家調停法による調停の申立をすることができ、「小作料其ノ他小作關係ニ付爭議ヲ生シタルトキ」に(小調法一條一項)、小作調停法による調停の申立をすることができ、「小作關係ノ爭議ヲ除クノ外相隣關係其ノ他農地ノ利用關係ニ付爭議ヲ生ジタルトキ」も調停の申立をすることができ(この場合には小作調停法が準用される。農調法一三條)、「薪炭林、採草地又ハ放牧地ノ賃貸借其ノ他其ノ使用收益ヲ目的トスル契約」について争議を生じたときも、小作調停法・農地調整法による調停の申立をすることができ（農調法一四條ノ二）、「商事ニ關シ争議ヲ生シタルトキ」に（商調法二條一項）、商事調停法による調停の申立をすることができ、「小作料其ノ他小作關係ヨリ生シタル」金錢債務及び「地代、家賃、其ノ他借地借家關係ヨリ生ジタル」金錢債務を除いた「私法上ノ金錢債務」については、「金額千圓ヲ超過セザルモノニ付」いて金錢債務臨時調停法による調停の申立をすることができ（金調法二條一項）――金額千圓を超過するものについても、裁判所が調停を爲すことを相當と認め、かつ相手方に異議がないときは調停を爲すことができた――、「鑛害の賠償に關して争議が生じたときは」（鑛業法舊一二六條）、鑛業法第六章舊第三節による調停の申立をすることができ、「人事に關する訴訟事件その他一般に家庭に關する事件について」（家審法一七條）は、家事審判法第三章による調停の申立をすることができ、その他の民事に關する紛争については（戰民特法一四條）、戰時民事特別法第四章の調停の申立をすることができた。

このように、舊法においては、沿革的理由から（序說參照）まず特殊な事件が、特殊の調停法によつて規律され、特殊の調停法によつて規律されない事件が、一般的に、民事事件として、戰時民事特別法中の調停法規によつて規律されることになつていた。これに對し新法では、まず、調停を一般的に民事に關する紛争全般について認め、とくに沿革を有するところの、從來の、借地借家調停事件、小作調停事件、商事調停事件、鑛害調停事件に相當する紛争については、特則が設けられている。從來の金錢債務臨時調停事件に相當するものについては、今日では、特別に取扱う必要がないものとして、一般的な民事事件として取扱われ、これについては特則は設けられていない。

三　「家族親族間ノ紛爭其ノ他一般ニ家庭ニ關スル事件」（人調法一條）、あるいは、「人事に關する訴訟事件その他一般に家庭に關する事件」（家審法一七條）、つまり家庭事件も、その性質は、民事事件である。しかし、この家庭事件は、一般の財産上の紛爭と異るその特殊性に基き、一般の裁判所と區別された家庭裁判所の管轄とされ、その調停はその審判とともに、家事審判法によつて統一的かつ、自足的に規律されているので、本法の規律の對象からは除外されているとみるべきである。したがつて、いわゆる家庭事件は、本法にいわゆる民事に關する紛爭ではないことになる。

もつとも、本法は調停に關する一般法であり、家事審判法第三章調停は、民事調停法の特別法であると考え、本法第一章通則の規定は、民事調停法全體の通則であり、したがつて、家事調停法の通則でもあると考えるならば、本法第二條にいわゆる民事に關する紛爭は、調停されうる民事紛爭のすべてを意味し、したがつて、いわゆる家庭事件をもふくむことになろう。しかし、家事調停に關する法規が、調停に關する法規の統合の範圍から除かれた理由は、家庭事件は、一般の財産上の紛爭とは異る特殊な性質を帶びていること、家庭事件を管轄する裁判所は、とくに家庭裁判所とよばれ、一般の裁判所とは、別の系列におかれていること、家事調停は、手續的に、家事審判と密接な關係を有すること、家事調停に關する法規は統一的自足的な家事審判法の一部として規定されていること、などであつたとされている。そうだとすれば本法が一般法で、家事審判法第三章が特別法であると、直ちにいうことには問題があり、假にそうであるとしても、本法第一章通則の規定が、そのまま、家事調停法の通則であるというのには疑問がある。むしろ、個々の法規について、それが、家事調停にも適用されるべきか否かが、検討され確定されるべきであろう。さらに本法第一章が家事審判法第三章の通則であると考える解釋の實益は本法の四條が家事調停にも適用されるという結論が出ることにあつた。しかし、この實益は、家事審判規則一二九條の二が追加されたことによつて消滅し、むしろこの追加は、家事調停法が自足的なものであることを示したものであるとさえいえる。

そこで、つぎに、いわゆる家庭事件、すなわち、家事審判法第三章の調停の對象となつて、本法の調停の對象とはならない事件の範圍を考えることにする。「一般に家庭に關する事件」について調停が行われうる（家審法一七條本文）。したがつて、家庭に關する事件であれば、身分上の事件であると、財産上の事件であるとを問わない。但し、家事審判法第九條第一項甲類に規定する審判事件は除かれる（家審法一七條但書）。甲類の事件は、性質上調停に適しない、すなわち、當事者の任意處分を許さない事項に關する事件であるからである。したがつて、調停が行われうるところの、家庭に關する事件といえば、次のようになる。(一)家事審判法第九條第一項乙類に規定する事件。乙類の事件は、當事者の意思を尊重する事項に關する事件で、多くは當事者間に爭のある事件であるからである。(二)家事審判法第九條に掲げられない事件で、訴訟の對象となりうる事件。例えば、婚姻の無効又は取消事件。協議上の離婚の無効又は取消事件。離婚事件。民法第七七三條により父を定める事件。嫡出子否認事件。認知事件。認知の無効又は取消事件。養子縁組の無効又は取消事件。協議上の離縁の無効又は取消事件。離縁事件。身分關係の存否の確定に關する事件。相續回復事件。遺留分減殺事件。(三)その他の、親族、準親族間の事件で訴訟の對象となりうるもの。例えば、婚姻豫約不履行事件。妾の手切金の事件。親族間の金錢貸借又は借地借家事件。すなわち、財産關係の事件でも、いわゆる家庭的性質を帶びるものは民事調停法上の調停事件ではなく、家事審判法上の調停事件である。

四 勞働爭議も、本法にいわゆる民事に關する紛爭ではない。その理由については、序説第一章九參照。

五 民事に關する紛爭すなわち、民事事件とは、刑事事件、行政事件とは區別され、私法上の權利ないし法律關係についての利益主張の衝突乃至意見の不一致である。訴訟はこうした利益主張のうち、その性質上一般に裁判上主張するに適する特定の權利又は法律關係に關するもののみについて、許されるのであるが、調停は、訴訟が許されるもののみについて、許され、訴訟が許されないものについては許されないのであるかは問題である。例えば、いわゆる自然債務については調停は許されないものであろうか。許されると解釋してよいと思われる。家事調停は、人事に關する訴訟事件に限らずその他一般に家庭に關する事件についてもなされうる(家審法一七條)。これは親族間準親族間の紛爭をできるだけ廣く解決するためである。してみれば、その他の財產關係の紛爭についても、財產に關する訴訟事件に限らず、一般に財產に關する事件についても、それが、當事者の任意處分を許し、當事者の意思を尊重して差支えないあるいは尊重すべきである事項に關する場合には、これをできるだけ廣く解決するために、これについて調停を行うことを認めるべきであろうからである。

「紛爭」とは、當事者の意思あるいは意見が一致しない狀態、あるいは他方が一方の要求に應じない狀態あるいは應じないと認められる狀態があれば、それは紛爭である。必ずしも當事者の一方に暴行その他の不穩の行動があることを必要としない。

第二章　調停機関

一　序

そもそも、調停機関を組織監督する權能を司法系統の國家機關に委ねるべきか、行政系統の國家機關に委ねるべきかは、ひとつの問題である。紛争の實情に通じているという點では、行政機關——例えば、町村長、警察署長、小作官、小作主事、通商産業局長——がすぐれており、公平な判斷を下すという點では、司法機關がすぐれていると考えることができるからである。本法においては、調停機關を、司法系統に屬させ、行政機關——小作官、小作主事、通商産業局長——は、いわば意見陳述機關であるに止まつている（法二七條、二八條、三三條、規則三六條）。

二　調停委員會

調停事件は、簡易裁判所又は地方裁判所の管轄として取扱われるが、手續において、調停を行う機關は裁判所ではなく、調停委員會（調停管轄裁判所の内部において構成される）又は裁判官（調停管轄裁判所又は受訴裁判所の）である。

まず、調停委員會について述べる。

「裁判所は、調停委員會で調停を行う。但し、相當であると認めるときは、裁判官だけでこれを行うことができる」（法五條一項）。

すなわち、原則として、裁判所が、調停委員會で調停を行う。したがつて調停機關は、調停委員會という調停（あつ旋など）を行う機關をもつた裁判所である。調停の申立を受ける機關も裁判所であるし（法二條）、調停事件を管轄する機關も裁判所である（法三條四條）。したがつて、調停事件を全體として取扱う機關は裁判所である。がしかし、調停（あつ旋その他を意味する）という作用を行うのは調停委員會である。しかも、調停委員會による調停において、當事者間に合意が成立したときは、これを調書に記載することによつて、その効力が生ずる（法一六條）。舊法におけるとは異り、裁判所の認可の決定は必要でない。

三　裁判官

調停という作用を行うのは、前述のように、調停委員會である。但し、相當であると認めるときは、裁判官だけで調停を行うことができる（五條一項但書）。家事調停においても、相當であると認めるときは、家事審判官だけで調停を行うことができる（家審法三條二項）。相當であるかどうかを認定するのは、調停裁判所である。「相當である」とは、例えば、事件の係爭點が主として法律上の解釋のみに關する場合、當事者雙方が裁判官だけの調停を希望する場合、簡單な事件でしかも迅速な處理を要する場合、などをいう。しかし、當事者が調停委員會で調停することを申立てているときは、裁判所は、調停委員會で調停を行わなければならない（五條二項）。裁判所が裁判官だけで調停を行うことを相當であると認めるときでも同じことであると解釋される。當事者の意思を尊重すべきであるからである。

舊法においては、この點（二、三）は、まちまちであつた。まず、實質的に調停を行う機關の種類については、舊法においても、調停は、裁判官だけによる（裁判所による）調停と調停委員會による調停との二通りがあつた。がしかし、後者が原則で、前者が例外であるのは、小作調停と鑛害調停で（小調法一〇條一項、鑛業法舊一三三條）、他の調停においては、前者によるか後者によるかは、裁判所の決するところであつた（借調法一四條一項、商調法二條、金調法四條、戰民特法一八條）。この點が本法では、統一的に、調停委員會による調停が原則とされている。それは、理論的には、裁判所がなるべく干渉しないで調停委員會によつて調停を行うことが、調停制度の本質のひとつであるからであり、經驗的には、從來の調停が、實際には、ほとんど調停委員會で行われたからである。

もつとも、當事者の申立があるときは、調停委員會による調停をしなければならない點は舊法（借調法一四條二項、小調法一〇條二項、商調法二條、金調法四條、戰民特法一八條、鑛業法舊一三三條二項）と同樣で、本法はこの點は踏襲したのである。家事調停にも、この趣旨が採用された（本法附則一一條によつて、家事審判法第三條に、この趣旨の規定が追加された）。當事者の申立は、當事者の一方の申立で足りると解釋される（小調法一〇條二項、鑛業法舊一三三條二項參照）。

四　調停委員會の組織

「調停委員會は、調停主任一人及び調停委員二人以上で組織する」（法六條）。この點は舊法と全く同樣である（借調法一五條、小調法二八條、商調法二條、金調法四條、鑛業法舊一四七條、戰民特法一八條）。家事調停においても同樣で、ただ調停主任の位置を家事調停では家事審判官が占めているだけである（家審法二二條一項、家事審判官も裁判官で、家事審判、家事調停を行う裁判官を家事審判官と稱えるだけである）。

五　調停主任

調停主任とは、具體的な調停事件について調停委員會が調停を行う場合のため地方裁判所が、指定した裁判官である。調停主任は必ず裁判官でなければならない（法七條一項）。この點は舊法と同樣である（借調法一六條一項、小調法二九條一項、商調法二條、金調法四條、鑛業法舊一四八條、戰民特法一八條）。つぎに、「調停主任は、裁判官の中から、地方裁判所が指定する」（法七條一項）。この點は舊法では、鑛業法舊一四八條を除き毎年豫め地方裁判所長が指定することになつていた（借調法一六條一項、小調法二九條一項、商調法二條、金調法四條、戰民特法一八條、鑛業法においても昭和二五年法律二八九號による全面的の改正前においては、小調法二九條一項を準用していた）。しかし、それは、裁判官の一般事件に關する事務分配の措置が法律によつて規定されていないということとの權衡上、調停事件のみについて特にこれを法律に規定する實質的理由に乏しいので、毎年豫めという點を、法律で規定することは廢止されたのである。もちろん調停主任の指定は、司法行政事務であり、裁判事務の分配に類する事項であるから、下級裁判所事務處理規則第六條八條の類推適用によつて、「毎年あらかじめ、當該裁判所の裁判官會議の議により」定められるべきであろう。したがつてまた、指定者は地方裁判所長ではなくて、地方裁判所とされたのであろう（裁判所法二九條二項參照、毎年十二月の裁判官會議で、翌年一月から十二月までの間において調停事件を擔當する裁判官が指定されるという實務例がある。したがつて調停主任は調停主任たるべく豫め指定されている裁判官という意味と現實にもたれている調停委員會を構成する一員としての調停主任という意味とがあることになる）。

調停主任は一人であるが、もちろん、具體的調停事件を調停する調停委員會について一人である。地方裁判所において、毎年あらかじめ、調停主任たるべき裁判官を、二人以上指定しておくことはできるであろう（地方裁判所の民事部の裁判官全員が調停主任たるべく豫め指定されるという實務例あり）。

調停主任たるべき裁判官として、一人だけ指定されている場合には、そのものが、常に調停主任になる。調停主任たるべき裁判官として數名が指定されている場合には、そのうちの一名が調停主任になる。

調停主任は、毎年あらかじめ、指定される。したがつて任期は一年である。再指定、重指定されることはできるであろう。

六　調停委員

調停委員は、「調停主任が、各事件について指定する」（法七條二項）。この點は舊法と同樣であり（借調法一六條二項、小調法二九條二項、商調法二條、金調法四條、鑛業法舊一四九條、戰民特法一八條）、家事調停におけると同樣である（家審法二二條二項）。

しかし、それは「地方裁判所が毎年前もつて選任する者」（法七條二項一號）及び「當事者が合意で定める者」（法七條二項二號）——これらのもののうち前者は、通例は調停委員と呼ばれる。が、調停委員規則四條においては、調停委員となるべきものである。後者も調停委員となるべきものである。——の中から指定する。この點は家事調停におけると同樣である（家審法二二條二項）。

「各事件について」というのは、具體的な事件毎にということである。調停委員となるべき者の中から、調停主任が、當該具體的な調停事件を調停するために、調停委員として、具體的に指定したものが、調停主任とともに、調停委員會を構成し、そこではじめて、調停委員會が成立する。したがつて、調停委員會は、具體的な調停事件が受理されたたびごとに、成立する。そして、その調停手續が終了したときに、調停の成否にかかわらず解體する。

調停委員となるべき者が、具體的な調停事件の調停に、調停委員として關與するためには、調停主任の指定がなければならない。調停主任は、調停委員となるべき者の中から、その具體的調停事件における紛爭の實情に照し、これを處理するのに最も適當と認められるものを選んで調停委員として指定するのである。

七　調停委員の選任

調停委員は、前述のように「地方裁判所が毎年前もつて選任する者」及び「當事者が合意で定める者」の中から指定される。

地方裁判所は、毎年前もつて、調停委員となるべき者を選任する。そして、調停委員名簿を作成する。この調停委員となるべき者に選任される者の員數は、各地方裁判所につき、定員二百人以上五百人以下とされている（調委規則四條本文）。但し、特に必要がある場合において、あらかじめ最高裁判所の認可を受けたときは、この限りでない（調委規則四條但書）。

調停委員となるべき者は、地方裁判所が選任する。舊法では、地方裁判所長が選任することになつていた（借調法一六條二項小調法二九條二項）。調停委員の選任は司法行政事務であり、司法行政事務は、裁判官會議の議により、裁判所が行うことになつている（裁判所法一二條、二〇條、二九條）ので、地方裁判所が選任するとされているのである。

調停委員となるべき者の任期は一年と解釋される。「毎年前もつて」選任されるからである。

調停委員となるべき者は、どんな人の中から選任されるか。この問題に入る前に、どんな人は調停委員となるべく選任されてはならないかについて考えてみる。禁治產者（民法七條）及び準禁治產者（民法一一條）、禁錮以上の刑に處せられた者、公務員として免職の懲戒處分を受けた者（國家公務員法八二條地方公務員法二九條）、裁判官として裁判官彈劾裁判所の罷免の裁判を受けた者（憲法七八條彈劾法二條）、辯護士として除名の懲戒處分を受けた者（辯護士法五六條、五七條）、は調停委員となるべき者に選任されることができない（調委規則三條）。

次に、どんな人の中から、調停委員となるべき者は選任されるか、調停委員となるべき者は、徳望良識のある者の中から選任しなければならない（調委規則二條）。この點は、借地借家調停法では、「特別ノ知識經驗アル者ニ就キ」選任することになつており（借調法一六條二項）、小作調停法では、「調停ニ適當ナル者ニ就キ」選任することになつており（小調法二九條二項）、舊鑛業法は、借地借家調停法と小作調停法とを併せた趣旨の規定をもち（鑛業法舊一四九條）、他は借地借家調停法を準用していた（金調法四條、商調法二條、戰民特法一八條）。

調停委員となるべき者は、徳望と良識があれば足りるかについていうならば、足りる場合もあり、足りない場合もある。すなわち、地方裁判所が調停委員を選任するときは、民事調停法第二章各節に定める調停事件（これを各種調停事件という）以外の調停事件（これを一般調停事件という）と各種調停事件について、その種類毎に、區別して選任しなければならない（調委規則二條二項）。そして、各種調停事件の調停委員となるべき者は、徳望良識があつて、さらにその上に特別の知識經驗を有するものの中から、選任しなければならない（調委規則二條三項）。事件の性質上、特別の知識經驗がなければ、これを取扱いえないであろうからである。

さらに、地方裁判所は、調停委員となるべき者（農事調停事件及び鑛害調停事件の調停委員となるべき者を除く）を選任するには、當該地方裁判所の管轄區域内にある簡易裁判所の司法行政事務を掌理する裁判官の意見を聞かなければならない（調委規則五條）。農事調停事件又は鑛害調停事件の調停委員となるべき者を、地方裁判所が選任するには、それぞれ、當該地方裁判所の所在地を管轄する都道府縣知事、又は通商産業局長の意見を聞かなければならない（調委規則五條二項）（しかし意見を聞かないで、調停委員となるべき者が選任されても、意見を聞かなかつたことは選任の効力に影響しない）。

以上の調停委員の選任は、取消すことができるかについては、調停委員となるべき者に調停委員たるにふさわしくない行爲があつたときは、地方裁判所は、その選任を取消さなければならない（調委規則六條）ことになつてるい。

八　合意で定める調停委員

當事者は合意で、調停委員となるべき者を定めることができる（法七條二項二號）。この合意は、當該具體的調停事件についてだけの合意である。この合意はしかし、調停主任の指定を拘束しない。すなわち、調停主任は、當事者が合意で定めた者の中から指定しないことができる。借地借家調停法の一六條二項（…又ハ當事者ノ合意ニ依リ選定セラレタル者ノ中ヨリ各事件ニ付調停主任之ヲ指定ス）の解釋は同趣旨であつた。が、小作調停法の二九條二項には「但シ當事者カ合意ヲ以テ選定シタル者アルトキ又ハ地方裁判所長ノ選任シタル者ニ就キ當事者雙方カ各別ニ選定シタル者アルトキハ其ノ者ノ中ヨリ先ツ之ヲ指定スルコトヲ要ス」と規定されていた。

合意は、口頭又は書面でなされる。事件が調停管轄裁判所に係屬する以前においても以後においてもなされうる。適法な合意があれば、その内容に應じた結果が發生する。すなわち、合意によつて定められた者が調停委員となるべき者となる。

九　臨時調停委員

調停主任は、事件を處理するために必要があると認めるときは、地方裁判所が毎年前もつて選任する者、當事者が合意で定める者以外のを者調停委員に指定することができる（法七條三項）。舊法においても、類似の規定があつた（戦民特法一七條ノ二）。家事審判法にも同じ規定がある（家審法二二條三項）。この規定によつて指定された調停委員は、その調停事件についてだけの調停委員である。したがつて、任期も、その調停事件が終了するまでである。

一〇　調停委員の辭任、解任、地位

地方裁判所によつて選任された者は、調停委員となるべき者たることを辭することができる。調停主任によつて、調停委員として指定されたものについては、「調停委員となるべき者に選任された者が調停委員に指定されたときは、正當な事由がなければ、これを辭退することができない」（調委規則七條）。調停委員となることは、公民としての義務であるからである。

舊法においては、小作調停法にのみ、「前項ノ規定ニ依リ指定セラレタ者ハ正當ノ事由ナクシテ之ヲ辭スルコトヲ得ス」と規定されていた（小調法二九條三項）。

調停主任は、一旦、調停委員として指定した者を、指定を撤回して解任し、他の者を新に指定することができるかについては、事件を處理するため特に必要があると認めるときは、調停委員の指定を取消すことができる（調委規則八條）。ほしいままに取消すことは許されない。

調停委員として指定された者が、調停委員たるにふさわしくない行爲があつたために、その選任が取消されたとき（調委規則六條）は、調停主任は、その調停委員の指定を取消さなければならない（調委規則八條二項）。

調停主任は、調停委員を指定した後、その數を增減することができるかについては、できると解釋される。

なお、調停委員となるべき者の選任及び調停委員の指定に關し必要な事項は、地方裁判所がこれを定めることができることになつている（調委規則九條）。

調停委員は刑法上公務員（刑法七條一項）と解釋される。したがつて賄賂罪の規定（刑法一九七條―一九七條ノ三）の適用を受ける。しかし、調停委員は、調停主任の指定を受けて、當該事件に限り公務を行うので、一般の公務員とは、やや趣を異にする。したがつて、身分上一般の公務員に關する原則規定の適用を受ける餘地は少い。が一應は、非常勤の一般職たる國家公務員に當るものと解釈されている（昭和二六・六・五民事甲第八九號最高裁事務總長回答「各種調停委員および司法委員の身分等について」昭和二六・六・八人任第一二九四號最高裁事務總局人事局長通知「人事院細則八―一二―一第四號の規定による指定について」裁判所時報第八四號參照）。

二　調停委員會の議事

まずはじめに、調停委員會の意思決定はいかにしてなされるかということについて考えてみることにしよう。

調停委員會の意思決定は決議によつてなされ、「調停委員會の決議は過半數の意見による」（規則一八條一）。舊法においては、議決は、調停委員の過半數の意見によると定められていた（借調法二〇條、小調法三二條、戰民特法一八條、商調法二條、金調法四條、鑛業法舊一五二條）。家事審判法においても、同樣の明文があつた（家審規則舊一三五條。但し、昭和二六年九月最高裁規則一〇號で「調停委員」の文字は削られて本規則一八條と同文になつた）。

調停委員會は合議體である。したがつて、その議決は多數決の原則に從う。しかしこの議決に調停主任は加わるか、舊法の規定の文言の上からいえば、「調停委員の過半數の意見による」とあり、かつ、調停主任は裁判官であつて、委員ではないと考えられるから、調停主任は、議決權を有しないと解釋された。本法においては、ただ「……過半數の意見による」と規定されており、又、家事審判規則舊一三五條の規定の文言中、「調停委員の」の五字は、最高裁規則昭和二六年第一〇號によつて削られて、民事調停規則一八條の規定の文言に一致させられた。このことは、調停委員會が、調停主任を含めての合議體であるという性質に鑑み、調停委員會の決議には調停主任も加わるべきであると考えられたことを示しているように思われる。

調停委員會において、意見が可否同數のときは、調停主任の決するところによる（規則一八條後段）。舊法においても調停主任の決するところによるという明文があつた（借調法二〇條、小調法三二條、商調法二條、金調法四條、鑛業法舊一五二條、戰民特法一八條）。家事審判法においても、家事審判官の決するところによるという、明文がある（家事審判規則一三五條）。

可否同數のときは調停主任の決するところによるが、意見が區々に分れて、いずれの意見も過半數に至らないときも、調停主任の決するところによると解釋されよう。

調停委員會の意見とは、調停委員會の議決したところである。調停委員の個々の意見が調停委員會の意見ではないことはいうまでもない。

調停委員會の評議は、祕密であるとされる（規則二九條）。舊法においても祕密であるという明文があつた（借調法二一條、小調法三三條、商調法二條、金調法四條、戰民特法一八條、鑛業法舊一五三條）。家事審判法においても、同樣の明文がある（家事審判規則一三六條）。嚴正かつ適正に評議がなされるには、調停主任及び調停委員が外部に對する考慮なしに、安んじてその所信を述べることができることが必要であるからである。さらに、この評議の祕密は保たれることが必要である。したがつて、調停委員、又は調停委員であつた者は、評議の經過、調停主任の意見、調停委員の意見などについて祕密を守らなければならない。正當な理由がなく、これに違反した場合には、刑罰を課せられる（法三七條）。

二　調停委員の旅費、日當及び宿泊料

調停委員には、「最高裁判所の定める旅費、日當及び宿泊料」が支給される（法九條）。これは、舊法の規定を踏襲したものである（借調法一八條、三二條、小調法四五條、四六條、商調法二條、金調法四條、鑛業法舊一六二條、戰民特法一八條）。家事調停においても同樣である（家審法五條）。最高裁判所は、民事調停法による申立手數料等規則（昭和二六年九月一五日公布最高裁規則九號）を制定して、そこにおいて調停委員に支給されるべき旅費、日當及び宿泊料の額などが定められている（同規則四條、七條、八條）。

三　調停を行う裁判官

裁判官だけで調停を行う場合の裁判官の數については、明文の規定はない。しかし裁判官は一人であると解釋される。民事調停事件を取扱うことは、民事調停法において、裁判所の權限に屬するものと定められた事項であり、かつ民事調停事件を管轄する簡易裁判所、又は地方裁判所（法三條、二四條二六條、三二條）は司法機關として事件を取扱うのであるから、簡易裁判所においてはいうまでもないことであるが、地方裁判所においても、單獨裁判所（一人の裁判官をもつて構成される裁判所）として民事調停事件を取扱うと解釋すべきであり、事件が一人の裁判官によつて取扱われるのに、調停が二人以上の裁判官によつて行われることは均衡を失するし、裁判官だけで調停を行うのは、調停委員會を開くまでもない場合であることに鑑みると、調停は一人の裁判官で行われると解釋すべきである。上訴裁判所が自廳調停を裁判官だけで行う場合も同樣であると考えられる（裁判所法三五條、二六條一項參照。家事審判規則一四二條も、一人の家事審判官が調停を行うことを前提としているとみることができる）。

裁判官だけで調停を行う場合、その裁判官には、調停主任となるべく指定されている裁判官が充てられるのか、それ以外の裁判官が充てられるのか（この場合にも、現に調停が係屬している裁判所を構成する裁判官とそれ以外の裁判官とが考えられる）については明文の規定はない。いずれの場合もありうることと考えられるが、實際には、調停主任となるべく指定されている裁判官が、調停が係屬している裁判所を構成し、かつ調停を行う裁判官にも充てられるであろう（少くとも、調停が係屬している裁判所を構成する裁判官が調停を行う裁判官に充てられるであろう。法三四條は呼出をなす裁判官（調停を行う裁判官と考えられる）が裁判所を構成していることを前提としているようである。事件の關係人の呼出をなすのは調停委員會であるから（規則七條一項）、それは裁判官だけで調停を行う場合にはその裁判官である（規則二〇條）。しかるに法三四條は、裁判所という表現を用いている。したがつて調停を行う裁判官と裁判所を構成する裁判官とは同一人であると考えられているとみなければならない）。

一四　裁判官、調停主任、調停委員、裁判所書記官の除斥等

調停裁判官、調停主任、調停委員、裁判所書記官について、除斥、回避、忌避の制度が認められるかについて考える。舊法においては、別段の定はなかつた。家事審判法四條には、「裁判所職員の除斥忌避及び回避に關する民事訴訟法の規定で、裁判官に關するものは、家事審判官及び參與員に、裁判所書記に關するものは、家庭裁判所の書記にこれを準用する」と規定されている（家審法四條）。本法においては、明文の定はない。ただ二二條に、調停に關しては、その性質に反しない限り、非訟事件手續法第一篇の規定を準用すると規定されている。ところが、非訟事件手續法第一篇第五條には、「裁判所職員ノ除斥ニ關スル民事訴訟法ノ規定ハ非訟事件ニ之ヲ準用ス」とある。それは、非訟事件の裁判

をする機關が裁判所であり、裁判所の職員が、非訟事件裁判權を行使するに當つては、公正であることと公正であることについて國民の信頼を得ることとが必要であり、こういう必要が存在するという點では、訴訟事件の場合と、異らないからである。調停事件を處理するについても、同樣の必要が存する。したがつて、裁判所職員の除斥に關する民事訴訟法の規定は、調停に準用されるべきである。したがつて、調停事件を取扱う裁判官、調停を行う裁判官、及び裁判所書記官については、除斥に關する民事訴訟法の規定が準用される。すなわち、民事訴訟法三五條に定められている除斥の原因が存する裁判官又は裁判所書記官（但し、民訴法三五條六號は準用されない）は、法律上當然に、その事件に關する一切の職務執行をなしえない。現に事件を處理している裁判官又は裁判所書記官に除斥の原因が存するときは、何時でも當時者の中立又は職權によつて除斥の裁判をなすべきである（民訴法三六條）。除斥の裁判は、合議體の構成員たる裁判官及び地方裁判所の一人の裁判官の除斥についてはその裁判官所屬の裁判所が（地方裁判所は合議體で—民訴法三九條二項）、簡易裁判所の裁判官の除斥についてはその裁判所の所在地を管轄する地方裁判所が（合議體で）、決定でこれをなす（民訴法三九條一項）。除斥の中立を理由ありとする決定に對しては不服を申立てることができないが、理由なしとする決定に對しては卽時抗告をすることができる（民訴法四一條）。除斥の原因が存する裁判官が關與した調停は違法であつて、再審の訴に準ずる訴でもつて、その取消を求めることができるであろう（民訴法四二〇條一項二號參照）。

調停委員については除斥に關する民事訴訟法の規定の準用はないと考えられる。それは、調停委員は、國の權力的な强制力をもつた行爲に關與することを職責としているものではないから、國の權力の行使が公正になされることとは直接の關係をもたないからである。このことは家事審判法において、裁判所職員の除斥、忌避及び回避に關する民事訴訟法の規定で、裁判官に關するものが、家事審判官及び參與員には準用されているが（家審法四條）、調停委員には準用されていないことからもうかがうことができる。實質的に調停委員の除斥が必要である場合はありうる。しかし、その場合は、當事者が調停委員を信任しないときは調停において合意をしないことができる。又、調停に代る決定がなされるにあたつて意見を述べた調停委員を不信任のときは、異議の申立をすることができる。調停委員について、裁判官の除斥原因（民訴法三五條）に相當する事由が存在するために、調停が成立しないに至ることは、手續經濟に反するが、この不經濟を實際の運用によつて避けることは困難ではないであろう。

回避については、非訟事件手續法五條は觸れていない。しかし、除斥原因が存在する裁判所の職員は、その職務の執行から法律上當然に除斥されるのであるから、除斥原因が存在すると自ら考える裁判所の職員が、職務の執行を回避することができる方法は、當然に與えられていて然るべきである。忌避事由が存すると自ら考える場合も同樣であろう。したがつて明文の規定はないけれども、裁判所職員の回避に關する民事訴訟法の規定も、調停事件について、裁判官及び裁判所書記官に準用されるべきであると解釋される。

忌避についても、非訟事件手續法五條は觸れていない。が、非訟事件手續法の解釋としては、忌避は非訟事件については認められないとされている。それは、非訟事件においては、利害關係がそれほど大でなく、手續も簡易主義を採り、偏頗のおそれが比較的少く、除斥、回避の制度だけで足りるからであるとされている。調停事件においては、當事者の利害關係は、訴訟事件と變りなく大きい。しかし、調停においては、手續の簡易迅速がとくに重視され、事件の實體に關しない問題にかかわることはできるだけ避けるべきである。したがつて、調停においては、忌避に關する民事訴訟法の規定は準用されないと解釋される。調停においては、公正を疑わせるような行爲があつた場合には、當事者は合意をしないことができるから、當事者の保護に缺けるところもないであろう。

一五　自廳處理の場合の調停主任

「受訴裁判所は、適當であると認めるときは、職權で、事件を調停に付した上、管轄裁判所に處理させ又はみずから處理することができる。但し、事件について爭點及び證據の整理が完了した後において、當事者の合意がない場合には、この限りでない」(法二〇條一項)。「受訴裁判所がみずから調停により事件を處理する場合には、調停主任は、第七條第一項の規定にかかわらず、受訴裁判所がその裁判官の中から指定する」(法二〇條三項)(戰民特法一六條と同旨)。したがつて、受訴裁判所が地方裁判所又は簡易裁判所である場合には、毎年、その(受訴)地方裁判所によつて調停主任たるべく指定された裁判官が、調停主任となる。受訴裁判所が高等裁判所又は最高裁判所である場合には、その裁判所の裁判官の中から、調停主任が指定される。その裁判所の裁判官とは、その合議體の一員たる裁判官という意味である。

一六　調停補助者

「調停委員會は、當事者の意見を聞き、適當であると認める者に、調停の補助をさせることができる」(法八條)。裁判官だけで調停を行う場合も同樣である(法一五條)。これは、舊法の借地借家調停法一七條の規定を踏襲したものである。借地借家調停法一七條は、商事調停法二條、金錢債務臨時調停法四條、戰時民事特別法一八條によつて準用された。鑛業法は、この點については、借地借家調停法も、小作調停法も準用せず、和解の仲介を申立てるべきことを勸告する制度を設けていた（鑛業法舊一三二條）。

調停補助者の制度の趣旨は、裁判官がなるべく干渉しないで當事者間の紛爭を解決するという調停制度の趣旨を徹底させるために、もし、調停委員として指定されなくても、特に紛爭當事者間の事情をよく知つていたり、又は當事者間に容易に圓滿に話合いをすすめてゆくことができると思われる適當な第三者がある場合には、調停を成立させるために、このものをして補助させることが望ましいというのである。こういうものの中には、調停委員たるべき者に選任しておくことが望ましいものもあるのであるが、しかし調停委員の定數は限られているから、それがなかなか困難なのである。又、一般的に調停委員たるべき者にしておくべきとは考えられないが、具體的な事件について補助をさせるのに適當であると考えられる者があることもあるからである。

つまり、實際の運用としては、調停補助者だけで話をつけてしまうのである。ある適當な人がいることがわかつたときに、その人に依賴して、當事者雙方に日をきいて貰い、その人が、あるいは雙方を別々に、あるいは同時に、あるいは適當な場所で、というふうに自由に當事者を勸說し、話がもしまとまれば、そこで事件を調停委員會又は調停を行う裁判官に戾して、調停委員會又は調停を行う裁判官で調停が成立したとして調停調書を作成するのである。この制度は、しかし、從來ほとんど行われなかつたようである。

調停補助者として適當であるか否かを判斷するのは、調停委員會又は調停を行う裁判官である。適當であると認めるときは、調停補助者として選定して、調停の補助をさせる。選定されたものは、しかし、調停の補助をすることをいつでも辭することができるであろう。

調停補助者には、「最高裁判所の定める旅費日當及び宿泊料」が支給される（法九條）。舊法の趣旨を踏襲したものである（借調法一八條、三一條、小調法四〇條、四六條　商調法二條、金調法四條、戰民特法一八條）。最高裁判所は、民事調停法による申立手數料等規則を制定して、そこにおいては調停補助者に支給すべき旅費、日當及び宿泊料の額などが定められている（同法四條、七條、八條）。

第三章　當事者、參加人

一　概　念

調停の當事者とは、その名において調停の申立をしている者（これを申立人という、法一九條參照）、あるいは、その者に對する關係で調停の申立がなされている者（これを相手方という、法三條參照）である。現實に調停の申立その他調停手續上の諸行爲をなしていても、他人の名においてなす者は代理人であつて當事者ではない。

二　當事者能力

調停手續において申立人又は相手方となりうる一般的能力を調停當事者能力という。どんな實在に調停手續の主體となりうる能力を認めるかは、調停法の定めるところである。調停法は、訴訟法上訴訟の當事者能力を有するものは、調停の當事者能力を有するとしていると解釋される。訴訟法は、權利義務が歸屬することが認められている者、あるいは、認められて然るべきであると考えられる者に對して、訴訟當事者能力を認めている。訴訟も調停も、具體的な權利關係が當事者間に確定される結果を齎し、訴訟における給付判決と調停における調書とは、ともに債務名義たる効力を與えられる點において變りはなく、したがつて、訴訟當事者たる能力を有する者に對して調停當事者たる能力は當然認められて然るべきであろう。訴訟當事者能力は、自然人及び法人(民訴法四五條)のほか、法人でない社團又は財團で代表者又は管理人の定めのあるもの(民訴法四六條)に認められている。例えば、法人でない勞働組合、學會、校友會、同窓會、醫師會、感化院、育兒會などがそうである。したがつて、これらのものにも調停當事者能力が認められる。

國も當事者能力を有し、法務大臣が國を代表する(國の利害に關係のある訴訟についての法務大臣の權限等に關する法律八條、一條、法務府設置法等の一部を改正する法律二二條)。

三　當事者適格

現に誰が當事者となつているかは、調停の申立によつて明らかになる。申立には、申立人の氏名、住所を記載するからである(法二二條非訟法九條)。しかし、當該事件について、誰が調停の當事者たる資格があるかについては、調停法によつて定められる。すなわち、それは、紛爭を調停によつて解決されることについて利益を有する者である。それは紛爭の當事者であつて(法二條參照)、必ずしも係爭法律關係の當事者、あるいは係爭權利につき管理權を有する者に限られない。例えば、宅地又は建物の明渡に關する紛爭においては、借地契約又は借家契約の當事者だけでなく、賃貸人の承諾を得ないで宅地又は建物の賃借權を讓り受けた者、賃借地又は賃借建物を轉借した者も當事者となる資格がある。又、例えば地主と小作人との間に中間小作人があつて、賃貸借關係が二重になつているような場合には、地主と中間小作人との間にのみ爭議が生ずることもあり、中間小作人と小作人との間にのみ爭議が生ずることもあるが、地主中間小作人及び小作人の三者を當事者とする爭議が生ずることもあろう。例えば、中間小作人と小作人との間に紛爭が發生して、小作料の納入がなく、その結果、中間小作人の地主に對する小作料もまた怠納となつた場合がその一例である。このような場合には、地主はひとり直接の賃借人たる中間小作人のみならず、小作人をも相手方として調停の申立をすることができる。

四　參加人

「調停の結果について利害關係を有する者は、調停委員會の許可を受けて、調停手續に參加することができる」(法一一條一項)し、逆に、「調停委員會は、相當であると認めるときは、調停の結果について利害關係を有する者を調停手續に參加させることができる」(法一一條二項)。前者は任意參加と呼ばれ、後者は強制參加と呼ばれる。任意參加の規定は家事審判規則と同樣であり(家審規則一三一條、一四條)、強制參加の規定は、家事審判法と同樣である(家審法二〇條、一二條)。裁判官だけで調停を行う場合には、任意參加の許可は裁判官が與え、強制參加も裁判官がさせる(法一五條)。

舊法においては、任意參加の規定が小作調停法と(小調法一五條一項、三四條)、舊鑛業法にあつた(鑛業法舊一三七條一項)。その他の調停においても、實務上同樣に取扱われていた。強制參加の規定は、舊法においては、「參加ヲ求ムルコトヲ得」という表現であつた(借調法六條、小調法一五條、商調法二條二項、金調法四條、鑛業法舊一三七條二項、三四條、戰民特法一八條)。そのため、強制力について文理上疑問があつたので、本法では、強制力が明らかにされたのである。

利害關係人の參加を得て、はじめて紛爭を完全に解決しうる事例が少くないので、參加を強制することによつて、事件の妥當な處理を一層期待することができる場合が少くないと考えられているのである。又調停の進行に伴つて、利害關係人が當事者と同じ立場に立つようになり、あるいは、當初の當事者に代つて紛爭の當事者たる地位に立つようになることもある。調停の建前は、紛爭を徹底的に解決することにある。したがつて紛爭の範圍が擴大され、全般的に調停がなされることはむしろ歡迎すべきである。このような場合、強いて別に調停を申立てさせてこれを併合して調停するとか、あるいは民事訴訟法における參加手續をするとかのような、ことさらの手續を要求せず、調停の對象が自然に擴大する場合には、その成行に應じ、利害關係人を參加させて調停を成立させ、その効力も利害關係人に及ぼすという趣旨である。

「調停の結果について利害關係を有する者」というのは、法律上の利害關係を有するものに限らない。紛爭の解決について、事實上の利害關係を有するものも含まれる。

例えば金錢の貸主と借主との間の貸金返還の請求をなす調停事件において、保證人は「利害關係を有する者」である。又、例えば、甲が乙からある品物を買つてその品物を更に丙に轉賣したところ、その品物が粗惡であつたため、甲が乙に損害賠償の請求をなす調停事件において、丙は「利害關係を有する者」である。さらに、家屋明渡の調停事件における同居人、互に借地權を主張する當事者間の調停事件における地主、あるいは無資力な妻を當事者とする調停事件における夫、などもそうである。

利害關係人が任意參加をするには、參加の申立をなし、調停委員會又は裁判官の許可を受けなければならない。調停委員會の不許可の處分又は裁判官の不許可の命令に對しては、不服を申立てることができない。許可は調停委員會又は裁判官の自由裁量的行爲だからである（したがつて、許可は取消すことができるであろう）。

强制參加の命令は、調停委員會の處分又は裁判官の命令によつてなされる。この處分又は命令に對しては、不服を申立てることはできない。

任意參加が許可され、あるいは强制參加が命ぜられると、參加人は、當事者と同じ地位につくと考えられる。つまり調停における參加は、當事者參加であると考えられる。それは、民事訴訟において補助參加が認められるような場合についても、調停においては、紛爭を、調停の結果について利害關係を有する者の間において一擧に徹底的に解決する。いいかえれば、それは、調停の効力をその參加人に及ぼすことを目的としているからである。

したがつて、參加人が參加した調停手續において、兩當事者、參加人の間に合意が成立しこれを調書に記載したときは、その記載の効力は兩當事者だけでなく參加人にも及ぶ。

調停委員會又は裁判所の呼出を受けた參加人が、正當な事由がなく出頭しないときは、裁判所によつて、三千圓以下の過料に處せられる（法三四條）。又參加人に對しても法一七條の調停に代る決定をすることができるし、法一二條の調停前の措置を命ずることができるし、この措置に從わない場合には法三五條の過料に處することができる。

五　代理人

調停には代理は認められるかについては、原則として、代理は認められると解釋される。但し、代理人は民法上の代理人（民一〇二條）と異り、訴訟能力者であることを必要とするであろう（法二二條、非訟法六條參照）。民事調停規則八條は、本人出頭の原則に對する例外として代理人の出頭を認めているが、これは出頭のみの代理であつて、調停の申立その他一般手續上の代理ではない。

當事者のうちで、自己の利益を自ら十分に主張し擁護するに堪えないものは、保護されなければならない。無能力者保護の規定は、民法にも民事訴訟法にも存するが（民訴法四五條、四九條）、本法や非訟事件手續法には明文の規定はない。が、本法においても無能力者は保護されるべきで、それに關しては、民事訴訟法の規定が準用されてしかるべきであると解釋される。

調停も集團的繼續的な、手續法上の行爲である。それは複雜であり、見透しも難しい。したがつて禁治產者と、未成年者（も原則として）は、法定代理人によつてのみ調停をなしえ（民訴法四九條參照）（この場合、禁治產者の後見人が調停をなすには、後見監督人の同意が必要であろう（民訴法五〇條二項參照））、準禁治產者は、紛爭を、訴訟によらず、まず調停によつて解決しようとするとき、あるいは、訴訟係屬中において紛爭を判決によらないで調停によつて解決しようとするときには、保佐人の同意を必要とする（民訴法五〇條二項參照。但し相手方となる場合は保佐人の同意を必要としない。民訴法五〇條一項參照）と解釋すべきであろう。

法人（財團、社團などの民法上の法人、株式會社、有限會社などの商法上の法人、敎會、寺院などの宗教法人、中小企業等協同組合法の協同組合、など）や法人でない財團、社團で代表者又は管理人の定めのあるもの（學會、校友會、勞働委員會の證明を受けない勞働組合（勞組法一條一項））などは、代表者（理事、代表取締役、主管者など）や管理人が調停に必要な行爲を行う。これは代理人ではないが、代理人と同樣に取扱われる（民事訴訟法五八條參照）。

親權者又は後見人が未成年者を代理し、後見人が禁治産者を代理する場合には、戸籍謄抄本を、準禁治産者が調停を申立てる場合には、保佐人の同意書を、法人の代表者が調停手續を行うには、所轄登記所の作成した資格證明書又は代表事項の記載のある登記簿の謄抄本を、調停裁判所に提出して、その權限、資格を證明する（民訴法五二條參照）。

六　當事者の一方又は雙方が多數である場合は、その多數の者が全員當事者となるかについては、舊法においては、當事者が多數であるとき、その全部又は一部を代表して、調停に關する一切の行爲を行わせるため、總代を選任することができる制度と、裁判所が總代を選任することを命ずることができる制度とがあつた（小調法一二條―一四條、鑛業法舊一三四條―一三六條）。本法においては明文の規定はない。同一代理人を選任することによつて、同樣の目的を果すことができると考えられて總代の制度を踏襲しなかつたのであろうか。

第四章　管轄

裁判所がただ一つだけしか存しないならば、管轄の問題は起らない。多種多數の裁判所が設けられているからこの問題が起るのである。すなわち、管轄とは、多種多数の裁判所の間に事件を分配したその範圍をいう。したがつて、管轄は、裁判所から見れば、どの範圍の調停事件を擔當するかということであり、當事者から見れば、ある具體的な事件に關し、どの裁判所に調停の申立をなすべきかということであり、事件から見れば、その事件を處理する權限を有する裁判所はどれかということである。

一　概　説

「調停事件は、特別の定がある場合を除いて、相手方の住所、居所、營業所若しくは事務所の所在地を管轄する簡易裁判所又は當事者が合意で定める地方裁判所若しくは簡易裁判所の管轄とする」(法三條)。これは舊法の戰時民事特別法一四條を踏襲したものである。家事調停についても類似の規定がある(家審法一二九條參照)。「特別の定」は、法二四條、二六條、三二條である。

通常訴訟の第一審裁判所は簡易裁判所と地方裁判所である。このうち調停事件を管轄するのは、原則として簡易裁判所である。したがつて、簡易裁判所が、いわば事物管轄權を有する。

調停事件の事物管轄裁判所が、簡易裁判所とされた理由は、昭和二五年度における簡易裁判所の訴訟新受件數が五、一四七件であるのに對し、調停新受件數が五一、二〇九件であり、同年度における地方裁判所の訴訟新受件數が六一、五九九件であるのに對し、調停新受件數は五、〇〇三件である事實が、說明しているように思われる。

ある調停事件が、どの簡易裁判所の管轄に屬するかは、相手方の住所、居所、營業所、事務所の所在地が、どの簡易裁判所の管轄區域内に存するかによつて定まる。したがつて、法三條は、いわば土地管轄をも定めている。

二　一般の管轄

「特別の定」がある場合には、その「特別の定」による。ということは、相手方の住所地等を管轄する裁判所の土地管轄權（法三條の管轄）を排除するということである。

したがつて、宅地建物調停事件、農事調停事件、鑛害調停事件以外の調停事件の管轄裁判所が、第三條によつて定められているのである。

まず、調停事件は「相手方の住所、居所、營業所若しくは事務所の所在地を管轄する簡易裁判所」（法三條）が管轄する（商調法一條、金調法三條、戰民特法一四條）。

「住所」とは、民法上の住所である。民法上の住所は、「各人ノ生活ノ本據」（民法二一條）である。戸籍法上の本籍とは關係がない。住民登錄法上の住民票への記載の有無とも關係がない。住宅が數個の裁判所の管轄區域に散在するときでも、主な居住の場所が住所である。主な居住の場所が決定されえないときは、管轄裁判所の指定によるべきであろう（法二二條、非訟法四條一項）。

管轄裁判所の指定は、關係ある裁判所に共通する直近上級裁判所が申立に因り、決定でこれをなし、この決定に對しては、不服を申立てることができない（法二二條、非訟法四條二項）。

「居所」とは、人が、多少の時間繼續して居住するが、土地と密接の度が住所ほどに至らない場所をいう。他に住所を有する場合もあり、全然有しない場合もある。例えば、東京に生活の本據を有している人が病後の靜養のため鎌倉の別荘に行つておれば、その間だけは鎌倉が居所である。

「營業所若しくは事務所」とは、業務の全部又は一部が、統括して經營されている場所である。必ずしも主たる營業所若しくは事務所に限らない。が、業務の末端あるいは現業が行われているだけで業務計畫、人事、經理の面の統括の中心でない、單なる分所あるいは出張所は、營業所若しくは事務所とはいえない。代理店は、業務者の業務の中心地ではなく、他人の店である。したがつて營業所ではない。

住所地の管轄裁判所、居所地の管轄裁判所、營業所若しくは事務所所在地の管轄裁判所は、それぞれ併存して、調停事件について管轄權を有しうるが、この場合には、最初に事件の申立を受けた裁判所が、その事件を管轄する（法二二條、非訟法三條）。

日本において居所がないとき、又は日本における居所が知れないときには、外國に居所があるか否かを問わないで、日本において有した住所の中の最後のものの所在地の裁判所が、管轄裁判所となる（法二二條、非訟法二條二項）。この最後の住所がないとき、又はこの最後の住所が知れないときは、財産の所在地又は最高裁判所の指定した地の裁判所が管轄裁判所となる（法二二條、非訟法二條三項）。最高裁判所は、東京都千代田區と指定している（民事訴訟法による普通裁判籍所在地等指定規則昭和二三年一一月一日最高裁規則三〇號）。

このように、調停事件の管轄裁判所を、相手方の住所、居所等の所在地を管轄する裁判所とし、中立人の住所、居所等の所在地を管轄する裁判所としなかつたのは、管轄は、相手方の住所地等が基準となるという一般的な立前によつたものである（民訴法一條參照）。それは、訴訟における原告、あるいは調停における申立人の住所地等を管轄する裁判所を管轄裁判所とするときは、被告あるいは相手方の出頭が、原告あるいは申立人に比して困難であつて、そのために、手續の進行ひいては紛爭の解決が阻害され、又は被告あるいは相手方の利益が事實上侵害される虞があるからである。

三　合意管轄

つぎに、調停事件については、管轄裁判所を當事者が、合意で定めることが認められている（法三條）。これは、舊法を踏襲したものである（戰民特法一四條、商調法一條、金調法三條）。地方裁判所でも簡易裁判所でもいずれでも定めうる。住所、居所、營業所もしくは事務所の所在地を管轄する裁判所以外の裁判所でも合意で定めることができる。

合意は口頭又は書面でなされる。合意は管轄合意書の提出によつて裁判所に通知される。合意は專屬的にも、競合的にも、選擇的にもなされうる。合意は紛爭發生前でも發生後でもなされうる。調停申立以前でも以後でもなされうる。合意が裁判所に對して通知されると（これが法三條にいわゆる、合意で定める、の意味である）、合意で定められた裁判所が一定の調停事件について、管轄權を即時にかつ直接に有するに至る。但し、管轄權ある裁判所に調停の申立があつた後に、それ以外の裁判所を合意で定めた場合には、調停の申立を受けた管轄權ある裁判所の管轄權は、そのために喪失することはない。管轄の標準時期は調停の申立の時と考えるべきであり（民訴法二九條參照）、管轄權を有する裁判所に事件が係屬した後に至つてその裁判所の管轄權が喪失することは手續經濟の要求と手續の安定の要求に反するからである。したがつて、この場合は、裁判所は、當事者が合意で定める裁判所に移送することができるということになる（法四條二項参照）。

四　宅地建物調停事件の管轄

「宅地又は建物の貸借その他の利用關係の紛爭に關する調停事件は、紛爭の目的である宅地若しくは建物の所在地を管轄する簡易裁判所又は當事者が合意で定めるその所在地を管轄する地方裁判所の管轄とする」（法二四條）。これは舊法の借地借家調停法一條とほぼ同趣旨である。

宅地建物の貸借利用關係の紛爭は、宅地建物の所在地において、その事實關係、實情をもつともよく知ることができる。したがつて、宅地建物の所在地を管轄する裁判所にのみ事件を處理させることとし、この趣旨を、地方裁判所について管轄の合意がなされる場合にも貫いたのである。

ただ、舊法においては、土地建物所在地の裁判所の管轄が認められるのは、「土地又ハ建物ノ貸借、地代、家賃其ノ他借地借家關係」（借調法一條）の紛爭に限られた（しかも借地借家は借地法借家法にいわゆる借地借家である（借調法二條三項））が、立法の趣旨は、使用貸借關係、相隣關係等一般に宅地建物の利用關係の紛爭についてもいえることである。したがつて、本法では、ひろく宅地建物の貸借利用關係の紛爭について宅地建物の所在地の裁判所に管轄權が認められたのである。

宅地建物の所在地が數個の裁判所の管轄區域にまたがるときは、その數個の裁判所がそれぞれ管轄權を有しうるが、最初に事件の申立を受けた裁判所がその事件を管轄する（法二二條、非訟法三條）。しかしその裁判所は申立により又は職權を以て適當と認める他の管轄裁判所に事件を移送することができる（非訟法三條）。

もし、當事者が、合意によつて、宅地建物の所在地を管轄する地方裁判所を、管轄裁判所と定めたならば、その地方裁判所が管轄裁判所となる。その際、簡易裁判所の管轄権が排除されるか否かは、合意の内容による。合意の内容が、簡易裁判所の管轄権を排除するものであれば、そのとおりの効力が生ずる。しかし合意の効力が存續する限り排除されるのであつて、合意が解除されれば、簡易裁判所が管轄權を有するに至る。

「宅地又は建物の貸借その他の利用關係」は、宅地の貸借、建物の貸借、宅地の利用關係、建物の利用關係、である。

「宅地」とは、その上に建物所有を目的とする地上權（民法二六五條）又は賃借權（民法六〇一條）が存在している土地である（土地臺帳法七條參照）。收益を目的とする永小作權（民法二七〇條）又は賃貸小作（民法六〇一條）が存在している土地は「宅地」ではない。

「建物」とは、舊借地借家調停法にいわゆる建物（借調法二條參照）と同義に解釋されるべきであり、したがつて借家法にいわゆる建物（借家法一條）と同義に解釋されるべきである（借調法一條三項參照）。借家法一條の「建物」とは、宅地に定着し、周壁屋蓋を有し、住居、營業などの用に供することができる永續性ある建物で、獨立の不動產として登記をすることができる物（不登法一四條・一五條）をいう。工作物（民法二六五條參照）より狭い觀念である。ただし、建築技術の進歩と取引通念の推移とによつて次第に建物の範圍が擴張されている。

建物の一部でも、その構造と使用効能とが、あたかも獨立の建物と同等に認められる場合（民法二〇八條に、いわゆる區分所有權の觀念を說く大正五年一一月二九日判決民錄二三三三頁參照）は、「建物」である。例えば、アパートの一室、ビルヂングの一室は、「建物」である（昭和八年四月二五日東京控民五判取消棄却、新聞三五七六號五頁は、個別的に、出入口を有する區劃せられたアパートの一室は、建物といえる判示した。昭和八年一二月二〇日東京控民一判取消棄却、新聞三六七二號九頁は、食堂經營のため二階三六坪のうち一八坪を建物として取扱つた）。しかし、日本式建物の一部、ことに部屋は、通常獨立の建物と同様の構造と使用効能を有しない。したがつて、「建物」ではない（登記の實際においては、日本式家屋の一部についても、區分所有權の登記をなしているということである。したがつて、建物保護法の適用は認められるべきであろう。しかし、それは本條のいわゆる「建物」というべきではない。したがつて、日本式家屋の一部の貸借の紛爭は、建物の貸借の紛爭ではない。むしろ建物の―一部の―利用關係の紛爭である）。

「建物」は、取引通念上建物と認められる建造物であれば、その種類、構造を問わない。高架橋の橋脚、コンクリート壁を利用した建造物についても、抵當物件（昭和一二年五月四日民二判棄却集一六卷九號五三三頁）又は課税物件（昭和七年一一月二四日行裁判錄九九四頁）となると解釋されているから、「建物」に該當する。さらに「建物」は、いうまでもなく現存する建物である。

「貸借」には、賃貸借（民法六〇一條）と使用貸借（民法五九三條）とがある。舊借地法借家法第一條の「貸借」には、無償を本則とする使用貸借關係は含まれなかつた（借調法二條三項）。が、本二四條においては、「貸借」以外に、「その他の利用關係」についても調停が爲されうるから、使用貸借を除外する理由はない。

「その他の利用關係」は、「貸借」以外の宅地建物の利用關係である。例えば、地上權（民法二六五條）、地役權（民法二八〇條）、占有權（民法一八〇條以下）、相隣關係（民法二〇九條—二三八條）など。

一般に利用權は、當事者の意思に基いて發生する。が、法律上當然發生するもの——法定地上權

（民法三八八條）――もあれば、當事者の意思を强制して發生するもの――罹災都市借地借家臨時處理法第二條又は第一四條による賃借權の設定――もある。

「紛爭」は、「宅地又は建物の貸借その他の利用關係」から生じたものでなければならない。例えば、土地又は建物に關する紛爭でも、農業經營に關するものであれば、本條の「紛爭」ではない。逆に、「宅地又は建物の貸借その他の利用關係」から生じた紛爭であれば、例えば、地代又は借賃についての紛爭でも、本條の「紛爭」である。

五　農事調停事件の管轄

「農地又は農業經營に附隨する土地、建物その他の農業用資產（以下「農地等」という）の貸借その他の利用關係の紛爭に關する調停事件」（法二五條）は、「紛爭の目的である農地等の所在地を管轄する地方裁判所又は當事者が合意で定めるその所在地を管轄する簡易裁判所の管轄とする」（法二六條）。舊法の小作調停法一條とほぼ同趣旨である。農地等の利用關係の紛爭は、一般に複雜深刻なものが多いので、地方裁判所の事物管轄とされている。

農地等の貸借利用關係の紛爭は、農地等の所在地において最もよく、その事實關係、實情を知ることができる。したがつて、農地等の所在地を管轄する裁判所にのみ事件を處理させることとし、これを簡易裁判所について管轄の合意をする場合についても貫いている。

舊法における、小作調停の對象の範圍は、「小作料其ノ他小作關係」の紛爭（小調法一條）（農調法一〇條）「小作關係ノ爭議ヲ除クノ外相隣關係其ノ他農地ノ利用關係」の紛爭（農調法一三條）「薪炭林、採草地又ハ放牧地ノ賃貸借其ノ他其ノ使用収益ヲ目的トスル契約」に關する紛争(農調法一四條ノ二)であつた。本法ではこれらは農地又は農業用資産の利用關係という概念に一括された。

農地等の所在地が數個の裁判所の管轄區域にまたがるときについては、法二四條について述べたところと同様である。「農業經營に附随する土地、建物」とは、農産物の貯藏小屋、耕作用家畜小屋など及びそれらの敷地など、農業經營を維持するのに直接必要な農地以外の不動産をいう。例えば、農業者の居住する家屋及びその敷地をいう。

「農業用資産」とは、農業經營の用に供せられる動産及び不動産を總稱する。堆肥施設、耕作機械、耕作用牛馬等は、農業用資産の重要なものである。

六　鑛害調停事件の管轄

「鑛業法(昭和二十五年法律第二百八十九號)に定める鑛害の賠償の紛争に關する調停事件は、損害の發生地を管轄する地方裁判所の管轄とする」(法三二條)。舊法の、鑛業法舊二六條と、この限りでは、全く同趣旨である。

鑛害の賠償の紛争は、損害の發生地において最もよく、その事實關係、實情をよく知ることができる。したがつて、損害の發生地を管轄する裁判所にのみ、事件を處理させることとされたのである。鑛害調停事件が、地方裁判所の事物管轄に屬するのは、鑛害の賠償事件が大規模で複雑であるのが通例であるからである。法二六條と異り、合意による簡易裁判所の管轄が認められていないのは、鑛害紛争は通常規模が大きいからである。

舊法においては、損害發生地以外の地方裁判所に合意管轄が認められていた。が、この點は、必要があれば、第四條の裁量的移送によれば足りると考えられて、本法では認められていない。

損害の發生地が、數個の裁判所の管轄區域にまたがるときについては、法二四條について述べたところと同樣である。

鑛業法に定める鑛害とは、鑛物（この範圍については鑛業法三條參照）の掘採のための土地の掘さく、抗水若しくは廢水の放流、捨石若しくは鑛さいのたい積又は鑛煙の排出によつて生じた損害をいう（鑛業法一〇九條一項）。

第五章　移送、自廳處理

本章で取上げられる問題は、裁判所がその管轄に屬しない事件について申立を受けた場合は、どうなるかという問題、その他である。

一　管轄違に基く移送

「裁判所は、その管轄に屬しない事件について申立を受けた場合には、これを管轄權のある地方裁判所、家庭裁判所又は簡易裁判所に移送しなければならない。」（法四條一項）。管轄違に基く移送である。舊法においても、全く同樣の規定があつた（借調法四條、小調法八條、商調法一條、金調法三條二項、鑛業法一二九條、戰民特法一五條）。家事調停についても全く同じ規定がある（家審規則四條一項）。

ただ、舊法においては、各種の調停が、それぞれ別個の根據法に基いていたため、異種の調停事件（例えば金錢債務調停事件と商事調停事件）相互の移送が認められず、當事者の不便を免れなかつた。が、調停法統合の結果、これら異種の調停事件の間にも移送の道が開かれた。本條の規定に對應して、家庭裁判所からも地方裁判所又は簡易裁判所に調停事件を移送し得ることが家事審判規則において明らかにされた（家審規則一二九條の二）。

「移送しなければならない」のであるから、管轄違を理由として調停の申立を却下する決定をすることはできない。この種の決定があつた場合はこれに對して、抗告をすることができる（非訟法二〇條）と解釋されるであろうか（なお第八章一參照）。管轄違であるにもかかわらず、移送がなされないで、調停手續がそのまま進められて、調停が成立した場合の調停の効力については、有効であると解釋されるべきである。管轄は、裁判權の分業的な分掌の定めであるから、管轄違裁判所は、管轄違の調停事件を、絶對に取扱いえないというわけではないからである。いわゆる自廳處理が認められる（法四條一項但書）のも同じ理由に基いている（なお民訴法三八一條參照）。

移送の裁判は、決定の形式でなされる（法二二條、非訟法一七條一項）。移送を受けた裁判所は、移送の決定に羈束されるかについては解釋は分れ、再移送を可能とする解釋と、羈束されるとする解釋とがある。後者の解釋が妥當であろう。再移送、再再移送によつて、事件がのびのびになつたり、管轄裁判所が定らなかつたりすることは望ましくないし、――當事者に對しては、移送の裁判に對する卽時抗告（規則四條）が認められており、その保護に不足はしないからである。移送は申立により又は職權でなされる。移送の申立を却下する裁判に對しては抗告をすることができる（法二二條非訟法二〇條、なお第八章一參照）。

移送の裁判に對しては、當事者は、卽時抗告をすることができる（規則四條）。舊法においては、移送の決定に對しては、不服を申立てることはできなかつた（借調法四條二項、小調法八條二項、商調法一條三項、金調法三條三項、鑛業法舊一二九條二項、戰民特法一五條三項參照）。それは調停は事件の簡易迅速な解決を期待し、管轄、移送という事件の實體でない手續上の派生的な争によつて、手續が徒らに遅延することは望ましくないからであつた。が他面管轄についての當事者の利益を全く無視することは許されない。しかも法四條の規定により土地管轄が著しく緩和され、移送について裁判所に廣い裁量權限が認められている。これらの點に鑑みると、移送の裁判に對して不服を申立てる方法が與えられなければならない。そこで當事者の利益を尊重する趣旨で、本法は民事訴訟法の原則(民訴法三三條)を採用したのである。即時抗告の手續には、民事訴訟法の抗告に關する規定が準用される(法二二條、非訟法二五條)。

管轄權がない裁判所に調停の申立があつた場合に、相手方が事件について申述をなしたときは、もはや移送はなされえないか。これについては、なお移送はなされうるという解釋と、民事訴訟法第二六條の趣旨が準用されて、管轄權がない裁判所が、管轄權を有するに至るという解釋とがある。法四條の規定は、當事者の便益のためという理由のほかに、地理的な原因で事件の妥當な處理が得られることがあることも豫想して土地管轄を緩和したのである。したがつて、調停の申立に應じて相手方が事件について申述をしたかしないかにかかわらずに、裁判所は職權で、移送することができると解釋されるべきであろう。

二　裁量移送――その一

裁判所が、裁量により事件を移送することができる場合が二つある。一つは法四條一項但書の場合であり、もう一つは法四條二項の場合である。まず、管轄違が原因で移送が必要である場合でも、裁判所は、「事件を處理するために特に必要があると認めるときは、土地管轄の規定にかかわらず、事件の全部又は一部を他の管轄裁判所に移送」することができる(法四條一項但書)。これは、舊法の戰時民事特別法一五條一項但書を、大體踏襲したものである。家事審判規則四條一項但書にも同趣旨の規定がある。

「事件を處理するために特に必要があると認め」られるか否かは、具體的事件について調停を申立てられた裁判所が判斷する。このとき、裁判所は、農事調停においては小作官又は小作主事の(法三〇條、二八條)、鑛害調停においては通商產業局長の(法三三條、三〇條、二八條)意見を聞かなければならない。もつとも、意見を聞かなくても、調停の効力には影響はない。

「事件を處理するために特に必要があると認めるとき」とは、本來の土地管轄に從うならば、當事者の經濟力等を比較して、その一方に不當に著しい負擔を强いる結果になる場合、あるいは關係人の住所や係爭物の所在等の關係から、事件處理に多くの時間と費用を要する場合など、をいう。

「土地管轄の規定にかかわらず」とは、法三條、二四條、二六條、三二條の規定にかかわらずということである。すなわち、土地管轄に關する限り、裁判所の裁量によつて緩和されることが認められたのである。したがつて、事物管轄は、裁量により緩和されることは許されない。例えば、鑛害調停事件を、地方裁判所が裁量により簡易裁判所に移送することはできない。

したがつて、「他の管轄裁判所」とは、他の事物管轄裁判所のことである。

この移送の裁判に對しても、當事者は卽時抗告をすることができる(規則四條)。

三　裁量移送――その二

「裁判所は、その管轄に屬する事件について申立を受けた場合においても、事件を處理するために適當であると認めるときは、土地管轄の規定にかかわらず、事件の全部又は一部を他の管轄裁判所に移送することができる。」（法四條二項）。これは、戰時民事特別法一五條二項を大體踏襲したものである。全く同趣旨の規定は家事審判規則四條二項にあり、ほぼ同趣旨の規定は、金錢債務臨時調停法三條二項商事調停法一條二項、鑛業法舊一二九條一項、にもあつた。この法四條二項の規定については、法四條一項但書の規定について述べられたことと同樣のことが述べられる。

「事件を處理するために適當であると認めるとき」とは、例えば、小作人と地主との間の建物利用關係の紛爭について、宅地建物調停の申立があつた場合に、簡易裁判所がこれを農事調停により處理するのを適當と認めて、地方裁判所に移送する場合がそうである。

管轄裁判所のなす裁量移送の條件は、事件を處理するために適當であると認めるときであり、管轄違裁判所のなす裁量移送の條件は、事件を處理するために特に必要があると認めるときである（法四條一項但書と法四條二項とを比較せよ）。

四　管轄違裁判所の自廳處理

管轄違が原因で、移送を必要とする場合に、裁判所は「事件を處理するために特に必要があると認めるときは、土地管轄の規定にかかわらず、事件の全部又は一部を」「みずから處理することができる。」（法四條一項但書）。これも戰時民事特別法一五條一項但書を踏襲したものである。全く同趣旨の規定は、家事審判法にある（家審規則四條一項但書）。舊法の他の規定中には、同趣旨の規定はない。

この規定は、いわゆる自廳處理の權限を認めたものである。すなわち、土地管轄權を有しない裁判所でも、ある場合には、調停事件を處理することができることとしたのである。それだけ土地管轄が緩和されたのである。したがつて、事物管轄は、裁量により緩和することはできない。例えば、鑛害調停事件を簡易裁判所が裁量により自廳處理することはできない。

「みずから處理する」措置は決定によつて行われる。この決定に對して、不服の申立をすることはできない（規則四條、民訴法三〇條二項參照）。が、みずから處理するためには、裁判所は、農事調停においては、小作官又は小作主事の（三〇條、二八條）、鑛害調停においては、通商産業局長の（三三條、三〇條、二八條）意見を聞かなければならない。

第六章　調停の申立

一　申立又は職權による調停手續の開始

調停手續は調停の申立によつて開始される。が、職權で開始されることもできる（法二〇條）。すなわち、「受訴裁判所は、適當であると認めるときは、職權で、事件を調停に付した上、管轄裁判所に處理させ又はみずから處理することができる。但し、事件について爭點及び證據の整理が完了した後において、當事者の合意がない場合には、この限りでない」（法二〇條一項）。

職權で事件を調停に付した場合、これを職權調停というが、これは舊法においても認められていた（借調法四條ノ二、商調法二條、金調法四條、戰民特法一六條、一八條、鑛業法二〇條、農調法一〇條二項）。ただ、本法においては、新たに、前述のように、受訴裁判所が裁量で事件を調停に付し得る時期を制限した。これは、事件を調停によつて解決することが適當であると認めるときでも、訴訟促進のための民事訴訟法の改正をも考慮し、訴訟が既に準備的段階を終つていわゆる繼續審理をなし得る段階に至つた後に事件を調停に付する場合には、もし調停が成立すれば、裁判所の自由裁量により、これまでの準備を徒勞に歸せしめることになることがありえて（これまでの準備があつたがゆえに、裁判官は紛爭の實體につき、證據調によりある程度の心證を得、その結果適切なあつ旋をすることができて、調停の成立を容易にすることができたという場合もありうるが）、この場合には調停によつて解決することと、これまでの準備を徒勞にすることとを比較衡量する必要があり、それにはそれを裁判所の裁量のみにかからしめるべきでなく、當事者雙方の一致した意思にかからしめるべきであるからである。

「受訴裁判所」とは、民事訴訟法では、現に狹義の訴訟が係屬している裁判所（民訴法五六條、六〇條、二六五條、二七九條、二八三條、三〇〇條、三〇四條、三〇六條）、かつて訴訟が係屬していた裁判所（民訴法一〇〇條、五二一條、五四五條）、將來訴訟が係屬すべき管轄裁判所（民訴法七三九條、七五七條、八〇五條參照）をいう。ところで、訴訟係屬は訴の提起によつて生ずる。したがつて管轄違の裁判所に訴が提起された場合には、その裁判所が受訴裁判所である。管轄違を理由として事件が管轄裁判所に移送されたときは、移送を受けた裁判所が受訴裁判所となる。

移送すべき事由（民訴法三〇條、三一條、三一條ノ二、三五五條）が存する場合においては、移送の決定がなされる。この決定が確定すると、訴訟は、はじめから、受移送裁判所に係屬していたことになる（民訴法三四條）。しかし、移送前に、移送裁判所が、事件を調停に付した處分の、効力は消滅しない。

受訴裁判所は、審級は問わない。上訴裁判所でも受訴裁判所である。しかし、訴訟事件が上訴審に係屬している場合には、その上訴裁判所が事件を調停に付することができるべきで、第一審裁判所は事件を調停に付することはできない。「適當であると認めるときは、」とは、受訴裁判所が、係屬した事件について、調停に付することを適當と認めたときという意味である。いわゆる調停前置主義は採られていない。

「事件を調停に付し」たときは、訴提起の時に、調停の申立があつたことになる。

「事件を調停に付」する旨の處分は決定で行われる。この決定に對しては、不服を申立てることはできない。この處分は裁判所の裁量行為であるからである。「事件を調停に付した場合において、調停が成立し又は第十七條の決定が確定したときは、訴の取下があつたものとみな」される（法二〇條二項）。この趣旨は、家事調停についても採用された（附則一條二）。

「管轄裁判所に處理させ」る場合は、一例を擧げれば、受訴裁判所が地方裁判所であつて、調停の管轄裁判所が簡易裁判所である場合である。

「みずから處理する」とは、受訴裁判所が調停について管轄權を有すると否とを問わず、自ら調停を行うことである。いわゆる自廳處理、ないし自廳調停である。したがつて、上訴裁判所においても自廳處理をすることができる。自廳處理の場合にも、調停委員會で調停を行う場合と、裁判官だけで調停を行う場合とがあるが、前者の場合には、「調停主任は、第七條第一項の規定にかかわらず、受訴裁判所がその裁判官の中から指定する」(法二〇條二項)。この點については、第二章**一五**参照。上訴裁判所で自廳處理する場合、調停委員は、その裁判所の所在地の地方裁判所が毎年前もつて選任する者等の中から調停主任が指定するべきであろう。

二　申立をなしうる時期

調停の申立をなしうる時期については、訴訟係屬中であつても、訴訟の進行程度ならびに審級の如何を問わず何時でも調停の申立をなすことができる。すなわち、判決が確定しない限り口頭辯論終結後でもなしうる。しかし、實際には、口頭辯論終結後の調停の申立は濫用と目されることが多いであろう。

調停の申立をなしうるということと、それによつて訴訟手續が中止されるということとは別の問題である。調停の申立をなしうる時期は、右に述べられたとおりである。が、訴訟手續の中止については、訴訟事件について爭點及び證據の整理が完了した後において、當事者の合意がない場合には、訴訟手續は中止されない(規則五條但書)(この點については第七章一参照)。

三　申立の方式

調停の申立は、當事者が、裁判所になす(法二條)。舊法においては、小作官又は小作主事も、調停申立權をもつていた(農調法一〇條)。

本法においては、當事者のみが調停申立權をもつと解釋される。調停の申立は代理人によつてなされうるかについてはなされうると考えられる（法二二條、非訟法九條參照）。申立は裁判所になすのであつて、調停委員會になすのではない。申立は、當事者の一方の申立で足りる。

調停の申立は、書面又は口頭ですることができる（規則三條一項）。舊法においても同樣であつた（借調法一〇條、小調法七條、商調法二條、なお家審規則二條も同樣である）。口頭でする場合には、裁判所書記官の面前で陳述しなければならない（規則三條二項）。この場合には、裁判所書記官は調書を作り（規則三條二項）、これに署名捺印しなければならない（法二二條、非訟法八條、民訴法一五〇條三項）。その申立をするには、その趣旨及び紛争の要點を明らかにし、證據書類がある場合には、同時に、その原本又は謄本を差し出さなければならない（規則二條、家事審判規則二條と全く同旨である。）。舊法においては、爭議の實情を明らかにするように規定されていた（借調法二條、小調法六條、商調法二條、金調法四條、鑛業法舊一二七條、戰民特法一八條）。本法では、實情では足りず、實情のなかで、問題となる點を整理することが要求されていると解釋される。

このほか、申立をするには申立人の氏名、住所、代理人によつて申立をするときは、その氏名、住所、年月日、裁判所の表示、が必要であることはいうまでもないであろう（法二二條、非訟法九條）。

四　手數料

「調停の申立をするには、手數料を納めなければならない。」（一〇條一項）。從來小作調停の申立については、手數料の納付を要しないとされていたが、本法では、一律に手數料を納付することが必要とされた。」手數料の額は、調停を求める事項の價額千圓につき十圓を超えない範圍內で、最高裁判所が定める」（法一〇條二項）。舊法においても、同種の規定があつた（借調法二九條、三一條、商調法二條、金調法四條、戰民特法六條、鑛業法舊一六〇條）。家事審判法六條にも同じ趣旨の規定がある。

手數料の、具體的な額の定は、最高裁判所規則に委任されている。ただ、國の收納金は法律で定めるものとする財政法の精神にしたがい、手數料徵收基準の最高限のみは、本法で定められているのである。この規定（法一〇條）に基いて、民事調停法による申立手數料等規則（昭和二六年九月一五日公布一〇月一日施行最高裁判所規則第九號）が制定されている。

「調停を求める事項の價額」とは、調停申立人が、自己の主張が通つた場合に有するに至るところの利益を、金錢に評價した場合の額である。その事件が、訴訟にも適する事件である場合には、調停を求める事項の價額は、民事訴訟法二二條一項における、「訴ヲ以テ主張スル利益」によつて算定された價額と一致する。

算定は、調停申立の時を標準とすべきであろう。

「調停を求める事項の價額を算定することができないときは、その價額は、三萬一千圓とみなし」（法一〇條三項）して、その額に對應する手數料の額の收入印紙を納めなければならない（手數料規則三條）（舊法においては、「借地借家調停ノ手數料等ニ關スル件」第一條第二項に、「調停ヲ求ムル事項ノ價額ヲ算定スルコト能ハサルトキハ其ノ價格ハ百圓ト看做ス」という規定があり、「小作調停ノ手數料等ニ關スル件が」これを準用していた）。

調停を求める事項には、財產權上のものと非財產權上のものとがある。

調停事項が財產權上のものであれば、その價額は必ず算定されうる。すなわち、調停を求める事項＝主張が、申立人に有利に確定することについて、申立人が直接に有する經濟的利益が、本來金錢で表示されているときは、その金額によつて算定される。相手方の資力を考慮することによつて評價された實價ではない。金額が定まつていない場合には、これを客觀的に金錢化する。客觀的にとは、申立人の特別の感情や個人的事情を離れて、社會の一般人が、申立人の立場に置かれた場合になすであろうところの評價方法によることである。相場のあるものは、相場によつて評價する。

しかし、現實においては、評價がきわめて困難である場合が、ないわけではない。この場合に、しかし、手數料を納付しないわけにはゆかない。したがつて、この場合の手數料の額を決定する基準を定めないわけにはゆかない。そこで調停を求める事項の價額を算定することができないときというのは、調停事項が非財産權上のものである場合のほか、財産權上のものであつて、評價がきわめて困難で不可能視すべき場合をも含むと解釋される。

調停事項が非財産權上のものであつても、家庭事件は、もちろん除外される。すると、それは、どんなものをいうことになるか。例えば、遺骸遺骨の引渡についての紛争のような場合をいうのであろうか。

手數料の納付の方式は、書面による調停の申立の場合は、所定額の收入印紙を書面に貼用して提出することである。

印紙が不足している場合、調停の申立は却下されるかについては直ちには却下されないで印紙の追貼を命ぜられると解釋される（法二二條、民事訴訟用印紙法一六條四項同一一條、なお民訴法二二八條參照）。

五　申立と時効の中斷

調停の申立は、時効中断の効力を有するか。

舊法時代の判例によれば、債權者の方からした金錢債務臨時調停の申立につき、その成立を見るに至つたときは、その調停の申立も、民法一五一條を類推して、時効中斷の事由となると解するを相當とする（昭和一六年一〇月二九日民三判棄却集二〇卷二二號一三六七頁）。その理由としては、調停が和解の性質を有すること、その効力において調停と裁判上の和解とが全く同一であること、が擧げられている。

和解の申立に、時効中斷の効力が認められる根據については、一般に時効制度の理論的根據と關聯して、學說が分れているが（川島武宜判例民事法昭和一六年度八五事件評釋參照）、調停の申立を、時効中斷の點で、和解の申立（民訴法三五六）と同じく取扱う點では、學說は一致している。

本法の解釋としても、舊法の解釋を踏襲して差支えないであろう。すなわち、調停の申立は、調停が成立したときは、時効中斷の効力を生ずる（法一六條、民法一五一條參照）。中斷の時期は調停申立の時である（法一九條參照）。

調停の申立があつたが、法一三條の規定により、調停をしないものとして、事件を終了させた場合には、調停の申立に、時効中斷の効果は認められないであろう（民法一四九條參照）。

調停が、法一四條の規定（法一五條によつて準用される場合も含む）によつて、成立しないものとして、事件を終了させた場合はどうか。この場合には、申立人が、その旨の通知を受けた日から二週間以内に、調停の目的となつた請求について訴を提起したときは、調停の申立の時に、その訴の提起があつたものとみなされる（法一九條）。訴を提起しなかつた場合には、調停の申立に、時効中斷の効力は認められない（民法一五一條參照）。訴を提起した場合には、調停申立の時に、時効が中斷したことになる。

調停に代る決定が、異議の申立によつて、効力を失つた場合は、調停不成立の場合と同様である。

六 通知

なお、裁判所は、調停の申立を受けたとき（規則二八條一項本文、但し、法第四條第一項本文の規定により事件を移送する場合は、この限りでない。規則二八條一項但書）、事件の移送を受けたとき（規則二八條二項）、職權で調停に付せられた事件を受理したとき（規則二八條二項）、自廳調停をするとき（規則二八條二項）は、農事調停においては、小作官又は小作主事に對し（規則二八條一項本文）、鑛害調停においては、通商産業局長に對し（規則三五條）、遲滯なく、その旨を通知しなければならない（規則二八條一項本文、三五條）。

農事調停に對する小作官等の關與（法二七—三〇條）や、鑛害調停に對する通商産業局長の關與（法三三條）が法律上認められたことに對應して、これらのものが、調停に關與する機會を通知によつて與える必要があるからである。舊法においては、小作調停法で、この通知は、市町村農地委員會及び市町村長に對してなすべきものとされていた（小調法五八條三項）。本法では、行政施策の實質的な主管者への通知ということになつた。

第七章 調停手續と他の手續との關係

一 訴訟手續との關係

1 序 訴訟事件の當事者が調停の申立をしたとき、又は、受訴裁判所が、訴訟事件を調停に付したとき、訴訟手續は中止されるかについては、「受訴裁判所は、調停が終了するまで訴訟手續を中止することができる。但し、訴訟事件について爭點及び證據の整理が完了した後において當事者の合意がない場合には、この限りでない」（規則五條）。

2　問題の所在　舊法においては、「訴訟手續ヲ中止ス」という規定のしかた（借調法五條、商調法二條、小調法九條）と、「訴訟手續ヲ中止スルコトヲ得」という規定のしかた（鑛業法舊一三一條、金調法六條一項、戰民特法一八條）とがあり、このために解釋が分れていた。家事調停においては「訴訟手續を中止することができる」と規定されている（家審規則一三〇條）。したがつて、本法においては、舊法の後者、家事審判規則を踏襲したということができる。すなわち、受訴裁判所は、當事者の申立をまたずに、職權で、訴訟手續を中止することができる。これは、けだし、訴訟手續と調停手續とを併行して進行させることは、できるだけ圓滿に紛爭を解決させようとする調停の成立に惡影響を與え、かつ、裁判所及び當事者などに重複した手數をかけるのみならず、訴訟手續の結果と調停手續の結果とが牴觸するおそれもあるからである。

しかし、いうまでもなく、受訴裁判所は、恣意的に、訴訟手續を中止したり中止しなかつたりすることができるのではない。そこで、どんな場合に、中止しないことができるか、あるいは中止してはならないかが問題とされる。

3　本法の解釋　これについては、まず、民事調停規則五條但書がある。すなわち、訴訟事件について爭點及び證據の整理が完了した後において、當事者の合意がない場合には、この限りでない。「この限りでない」というのは、中止しないことができるという意味ではなく、中止することはできないという意味である。手續經濟上からもそうあるべきであり、當事者の意思も尊重されるべきであるからである。

すなわち、まず、訴訟事件が繼續審理をなしうる段階に至つたのに、それを中止することは、繼續審理の制度を破るものであり、訴訟經濟にも反するからである。

「爭點及び證據の整理が完了」すると、繼續審理（民事訴訟の繼續審理に關する規則―昭和二五年一二月二〇日公布施行最高裁判所規則二七號―二〇條）をなしうる段階に入る。この「爭點及び證據の整理が完了」するのに二つの場合がある。ひとつは、最初にすべき口頭辯論期日において（繼續審理規則一〇條）であり、もうひとつは、準備手續において（繼續審理規則一七條）である。

「爭點の整理」は、爭點の確定とは異る。爭點は、當事者の主張が整頓されると、一應確定する。爭點の整理は、確定された爭點を取捨することである。これは、積極的又は消極的の二樣の方法で行われる。例えば、爭點がA、B、C、Dと四つある場合に、當事者の協議により、爭點を、その中の重要な、A、Bの二つに限定するのがそのひとつである。これは、爭點の積極的整理の方法である。この場合、重要でない、C、Dの二つを爭點にしないという合意をすることが、そのもうひとつである。これは、爭點の消極的整理の方法である。この兩樣の方樣の相異は、次の點に存する。積極的整理の場合においては、爭點の發展の可能性がない。が消極的整理の場合には、爭點の發展の可能性がある。というのは、訴訟の進行に伴い、E、Fという新たな爭點が生じたとき、爭點の積極的整理が行われていた場合には、E、Fは爭點となりえないが、消極的整理が行われていた場合には、E、Fは爭點となりうるからである。

なお「爭點」は、現實に爭點となつているものに限らない。爭點となる可能性のある事項も含まれる。例えば、貸金請求の訴訟において、被告はもつぱら消費貸借の事實そのものを爭つており、辨濟の有無とか、時効による消滅という點は現在爭點となつていないが、將來これらの點が爭點となる可能性のあることを豫想して、被告は辨濟の主張をしない、原告は、被告が債務を承諾したとの主張をしない、と合意する場合が、そうである。

「證據の整理」は、證據の提出とは異る。證據の整理にも、積極的な方法と、消極的な方法とある。例えば、證人は當事者雙方ともに各五人に限る、というのは積極的方法である。當事者雙方とも檢證はしない、又は、當事者雙方とも檢證の申請を撤回する、というのは消極的方法である。

「爭點及び證據の整理が完了した後において」も、「當事者の合意」があれば、裁判所は、訴訟手續を、中止することができる。が、「當事者の合意がない場合には」、すなわち、當事者が訴訟手續の中止について合意をしないときには、裁判所は、訴訟手續を中止することはできない。したがつて、裁判所が、訴訟手續を中止することができるのは、爭點及び證據の整理が完了しない以前と、完了した後において、當事者の合意があつた場合である。

とすると、これらの場合に、裁判所は、訴訟手續を中止することができるわけであるが、しかし、中止しないこともできるわけである。しかし、恣意的であつてはならない。そこで、われわれは、中止しないことのできる場合というものを考えなければならない。この點については、舊法の規定についての解釋と判例が參考になるであろう。

4　訴訟手續を中止しない場合――舊法時の判例――　判例は、金錢債務臨時調停法六條及び戰時民事特別法一八條の解釋としては、「訴訟手續ヲ中止スルコトヲ得」と規定されていることから、訴訟手續を中止するかどうかは受訴裁判所の自由裁量に委ねられており、それゆえ、當事者が調停の申立てられたことを理由として訴訟手續の中止を求める行爲は、ただ裁判所の職權發動を促すにすぎず、當事者は訴訟手續の中止を求める申立權を持つているわけではない、と解釋して、これを理由として訴訟手續中止の申立について特に裁判をしないで訴訟事件につき判決をしても違法ではないとしている（最高裁判決昭和二四年八月二日棄却民集三卷九號三〇五頁）。

しかし、他方、借地借家調停法五條には、「訴訟手續ヲ中止ス」と規定されていた。これについては、判例の態度はどうであつたか。

まず、訴訟手續を中止すというのは、當然中止ではなく、受訴裁判所の中止の決定があつてはじめて中止されるという解釋をしている（その理由としては、調停申立が受理されたことを、受訴裁判所は、當然には知りえない。したがつて、調停申立受理後、受訴裁判所が訴訟手續を進行させることは、多々ありうる。當然中止と解釋するならば、調停申立受理後の訴訟行爲は無効である。これは訴訟經濟に反する、といつている。昭和一一年四月一五日民四判棄却法學五卷九號一〇三頁）（昭和一三年度判民八〇林千衞評釋の引用によれば、大阪控判昭和一三年七月二三日法律評論二七卷一〇號諸法六二九頁は、中止決定を要せず、當然中止を肯定している）（當然中止說をとつた學者もいる。山田正三法學論叢二五卷一號一六六頁）。

では、受訴裁判所は、かならず、中止決定をすべきか。この點についての判例は、次のとおりである。

まず、借地借家調停の申立があつたにもかかわらず、訴訟の係屬する裁判所がこれを顧みないで訴訟手續を進行した事件については、後に、調停裁判所が、その調停申立を、借地借家調停法第三條によつて却下したときは、結局その訴訟手續は違法をもつて目すべきでないと判示している（昭和六年一〇月二九日民一判棄却法學一卷三號一五〇頁）。

つぎに、控訴審判決の言渡期日の三日前に商事調停の申立があり、調停申立受理證明書が裁判所に提出されたが、訴訟手續が中止されないで判決が言渡され、その後約一ケ月の後に、調停が不成立で終了した事件については、調停が成立しないで終了したから、控訴審が訴訟手續を中止しないで判決を言渡したのは結局違法とすることができないと判示している（昭和一二年九月二五日民四判棄却民集一六卷二一號一四七六頁）。

さらに、控訴審判決の言渡期日（昭和一二年一二月二一日）の前日に借地調停の申立があり、訴訟手續中止上申書が當事者から提出されたが、これが無視されて、訴訟手續が中止されないで、判決が言渡され、その後昭和一三年五月一七日に調停不調の結果上告人がその申立を取下げた事件について、調停不調の結果終了したときは、その以前になされた原判決の言渡は結局何等の違法なきに歸すると判示して、前掲昭和一二年九月二五日民四判を先例として引用している（昭和一三年六月二一日民二判棄却民集一七卷一四號一二六三頁）。

すなわち、判例は、調停の申立があつたときは、裁判所は、訴訟手續中止の決定を、かならずなすべきことを、一應、前提としているように見える。したがつて、訴訟手續を中止しないことは違法であるということも一應認めている。しかし、一定の場合には、訴訟手續を中止しないことも認めている。そしてこの訴訟手續を中止しないことを容認する論法として、結果論を利用している。

ところが、その後に判例は、從來の事件の經過に鑑みて、調停成立の見込がないにもかかわらず、口頭辯論終結直前に調停が申立てられた場合には、たとえこれが受理されても、このような申立は、いたずらに判決の言渡を妨害する目的でなされたものといえるから、訴訟手續はこれを中止する必要がないと判示している（昭和一八年七月二三日民一判棄却民集二二卷一六號七〇八頁）。

5　訴訟手續を中止しない場合——舊法時の學說——　次に、この點についての學說を見ることにする。

まず、調停の申立があつたときは、必ず訴訟手續中止の決定をしなければならない、したがつて、訴訟手續を中止しないで判決を言渡すことは違法である、とする點では、學說は一致している（中村宗雄民商法雜誌七卷四號一五四頁以下、齋藤秀夫判例民事法昭和一二年度一〇三事件、林千衞判例民事法昭和一三年度八〇事件）。訴訟引延しのための調停申立の場合については、學說は分れている。ある學說は、訴訟引延しのためであるかどうかは、調停裁判所の認定に委され、調停法の規定に基いて調停の申立が却下されるべきで、調停の申立の却下をまたないで、訴訟手續が續けられるのは違法であり（中村前掲、林前掲）、結果的に、調停が不成立に終つても、その訴訟手續は適法とはならない（齋藤前掲、中村前掲）といつている。

これに對し、他の學說は、「借調法五條は、調停尊重主義から、凡そ形式的に調停の繫屬あれば訴訟手續を中止すとし、調停の濫用の弊害の芟除は調停裁判所の任務とすれば足るとしたが、實情は調停裁判所と受訴裁判所の聯絡不充分のため所期の効果を收め得ない傾向である。かかることは、眞に紛爭の解決を調停に求める者に途を拓かんとする法の精神でないから、調停尊重はこれを實質的に解し、調停による解決の見込なきに非ざる場合のみに中止を限定すべく、而してその判斷は中止の決定という判斷をなすのが受訴裁判所である以上、又調停裁判所に留保する規定なき以上、受訴裁判所に委ねるべきであろう」としている（菊井維大法協六二卷七號八五頁、なお、借調法五條の規定は、多少の行過ぎもないではないが、金調法六條と同樣に解してよいという說もある（吉川大二郎民商法雜誌一九卷五號四一七頁）。この後者の學說は、しかし、前揭昭和一八年七月二三日民一判の、事件を解決する實際的實質的結果を支持するために唱えられたものであることは、注意されるべきであろう。學說が、このように分れたことは、判例の變化とともに訴訟手續の中止の規定に、金調型と借調型と二種あること、したがつて、借調型の規定が對照上文理的に解釋されざるを得ないこと、しかし、實際上は、金調型のように、この點に關する規定は裁量規定であることが適當であること、のジレンマから生れている。本法の規定のしかたとして、裁量規定の形式をとるに至つた理由がここから自ら判明するであろう。

附言するに現行法の下においては、問題にならないことであるが、舊法においては、訴訟手續を中止すべきであるのにもかかわらず、中止されないで、審理が續行されたとき、その續行手續は當然無効ではない（齋藤前揭）。上訴をもつて、不服申立をなしうる（齋藤前揭）。では、この點の上訴があれば、必ず原判決は破毀され、原審に差戻され、原狀に回復されるべきか。必ずしもそうではない。上告審の辯論終結當時、上告人の執拗な行動により、なお、調停手續が裁判所に係屬していたとするならば、調停の申立受理後になされた原審判決は、（判例理論によつても）破毀されざるを得ないであろう（中村前揭）。しかし、判決の言渡のみが殘つている訴訟の段階において、訴訟の引延しを目的としていると思われる調停の申立があり、しかもそれが不成立に終つた場合に、訴訟手續が中止されないで判決の言渡があつたときは、その判決の言渡は適法ではないが、それに存する瑕疵は、判決を破毀することを必要とするほどのものではない（齋藤前揭林前揭）。訴訟經濟の要求に叶うからである（林前揭）。あるいは、訴訟信義の原則に反した調停申立權の濫用を理由とすることも可能であり（中村前掲）、訴訟手續中斷中における判決言渡に關する民事訴訟法二二二條一項を準用して、判決の言渡に限り、訴訟手續の中止中にもなしうるものと解する方法もある（中村前掲）。

以上が、舊法に關する判例と學說である。舊法において、裁量規定でなかつたために生じた實際問題上の難點は、本法において裁量規定となつたために立法的解決をみた。次に裁量の限界であるが、これも、裁判所が、訴訟手續を中止することができるのは、爭點及び證據の整理が完了しない以前と、完了した後において、當事者の合意があつた場合に限られることによつて、ある程度の立法的解決を見た。したがつて、殘る問題は、この限られた限界内においては、裁判所は、訴訟手續を中止することが、調停尊重の要求から、望ましいわけであるが、しかし、中止しないこともできるわけであり、その中止しないこともできる場合はどんな場合か、である。この點については、昭和十八年七月二三日民一判とそれを支持する前掲學說が參考になるであろう。

なお、訴訟手續中止の決定に對しては不服を申立てることはできない（金調法六條四項參照）。

二　督促手續との關係

中止することのできる「訴訟手續」は、判決手續に限られるかという問題を檢討することにする。まず、督促手續について考える。督促手續は、債務者が請求を爭わないであろうと豫想されるときに、簡易迅速に、債權者に債務名義を與えることを目的とする手續である。すなわち、督促手續は判決手續を省略することを目的とし、兩手續は併存しえない。これに對し、調停手續は、爭があることを前提とし、それを解決することを目的とする點において判決手續と機能を同じくする。したがつて、調停手續と督促手續とは、併存しえない。すなわち、裁判所は、支拂命令の申立のあつた事件を、債務者の異議がないのに、調停に付することはできない。又、債務者が支拂命令に對し異議を申立てないでしかも調停の申立をなしたときは、調停の申立を異議の申立とみて、支拂命令は、調停の申立の範圍内でその効力を失うとみるべきであろう（この場合、債權者の訴提起が擬制される。そこで、債權者の訴提起に對して、債務者の調停の申立があつたことになる。したがつて、この後は判決手續と調停手續との關係になる）。債務者が異議を申立てた（民訴法四三四條、四三七條、四四〇條）ために、督促手續が判決手續に移行したとき（民訴法四四二條）は、その判決手續は、調停の申立が受理されたことのために、中止されることはできる。

三　起訴前の和解手續との關係

起訴前の和解手續（民訴法三五六條）について考える。調停は紛爭解決の方法において調停委員會による調停と裁判官による調停との二種を有し、その點において和解よりも包容するところが大きいが、事件の解決が訴訟を防止する意味をもつ點においてその機能を同じくし、又その効力も同じである（法一六條、民訴法二〇三條）。したがつて手續の重複、結果の牴觸を避ける必要が存しうる。ゆえに、調停の申立があつた事件について、起訴前の和解がすでに係屬していた場合には、その和解事件の係屬している裁判所は、調停が終了するまで、和解手續を中止することができると解釋すべきであろう。實際には、和解手續中に、調停の申立がなされることは、ないであろうけれども。

四　仲裁手續との關係

次に、仲裁手續について考える。仲裁契約の存在は、訴訟障礙事由である。すなわち、仲裁契約のある事件について訴を提起すると、被告の抗辯によつて訴はその必要がないとして却下される。では、それは、調停障礙事由であろうか。肯定説がある（山田正三法學論叢二五卷一號一六三頁）。肯定説に從えば、仲裁契約が、訴訟障礙事由であるのは、判決手續によらないで、仲裁人によつてのみ、判斷されることを欲する當事者の合意に効力が認められるからである。しかしながら、その場合、當事者の合意の重點は、仲裁人の判斷によるという點にあるというよりも、判決手續によらないという點にあるというべきであろう。したがつて、仲裁契約が存在することは、調停（判決手續以外の紛爭解決方法の一として）で紛爭を解決することを妨げるものではないとみるべきである。ところで、仲裁手續も紛爭解決の一つの方法であり、仲裁判斷は確定判決と同一の効力を有する（民訴法八〇〇條）。したがつて、ここにおいても、手續の重複、結果の牴觸を避ける必要が存しうる。したがつて、調停の申立があつた事件について、仲裁手續が進行しているときは、仲裁契約に指定した簡易又は地方裁判所又は請求を裁判上主張する場合において管轄を有すべき簡易又は地方裁判所（民訴法八〇五條七九九條參照）は、調停が終了するまで、仲裁手續を中止することができると解釋すべきであろう。

五　强制執行手續及び競賣法による競賣手續との關係

强制執行手續及び競賣法による競賣手續については、民事調停規則六條に特別の定がある。すなわち、「調停事件の係屬する裁判所は、紛爭の實情により事件を調停によつて解決することが相當である場合において、調停の成立を不能にし又は著しく困難ならしめる虞があるときは、申立により擔保を立てさせて、調停が終了するまで調停の目的となつた權利に關する强制執行手續又は競賣法（明治三十一年法律第十五號）による競賣手續を停止することを命ずることができる」（規則六條一項本文）。舊法においては、同種の規定が、金錢債務臨時調停法（六條二項）に存在し、これが、戰時民事特別法によつて、同法一四條の調停事件に準用されていた（戰民特法一八條）。

調停手續の存在を原因として、執行停止をすべきか否かの問題に對しては、相反する見解が對立しうる。一は理論的見地に立つ見解であり、他は實際的見地に立つ見解である。理論的には、一旦成立した債務名義の効力を訴訟法の認める嚴格な手續によらないで左右することは、私權の實行の保護を不確實にするということができる。が、實際的には、調停制度の目的を達成するためには、執行停止が大きな機能を果すことは否定しえない。

民事調停規則第六條の規定は、以上の二つの見解の調和の結果である。

執行停止、任意競賣手續停止の要件は、「紛爭の實情により事件を調停によつて解決することが相當である場合において、調停の成立を不能にし又は著しく困難ならしめる虞があるとき」である。舊法においては、この種の制限はなかつた。この要件は二つの部分に分れる。前段の要件と後段の要件とが、ともに存在することが必要である。

前段の要件の場合は、調停がもつとも適當な解決方法である場合である。例えば、債務者に義務履行の意志と將來におけるその可能性とが認められており、かつ、現在の權利の實行が、その生活を危殆に瀕せしめる場合をいう。

後段の要件の場合とは、强制執行手續又は競賣手續の實行それ自身が、この後段の要件に該當する場合が多いであろう。

强制執行手續は、どんな債務名義に基くものであつても、これを停止することを命ずることができるわけではない。すなわち、「裁判及び調書その他裁判所において作成する書面の記載に基く强制執行手續については、この限りでない」（規則六條一項但書）。これも、舊法には存在しなかつた制限である。これらの債務名義は、請求權の存在についての判斷について旣判力を有するものであるので、それが訴訟法の定める手續に從つて事實上實現される場合には、それは訴訟法の定める手續によらないで妨げられてはならないからである。實際上これらの債務名義に基く强制執行に對する停止の申立は、申立權の濫用と認められる場合が多く、執行停止の事例もきわめて稀である。

「裁判」とは、確定判決、假執行宣言付終局判決（民訴法四九七條）のほか、執行力を有する他の裁判（民訴法四四三條、五一四條、五五九條、八〇二條、家審法一五條、商法三九四條二項、四五四條三項など）を含むと解釋される。

「調書」は、例えば、認諾調書、和解調書（民訴法二〇三條）、調停調書（民事調停法一六條、家審法二一條）。

「その他裁判所において作成する書面の記載」は、例えば、破産手續における確定債權の債權表の記載（破法二八七條）。

結局、强制執行手續の停止の對象となる債務名義は、例えば、公正證書（民訴法五五九條三號）、債務名義の効力を有する行政廳の處分（土地收用法九三條一〇項、特許法一二〇條など）などであろう。

執行停止、任意競賣手續停止の、手續的要件は、擔保の提供と債務者の申立である。

擔保の提供は必要的な前提である。舊法においては、擔保を供せしめないことが可能であつた。擔保提供の方法、擔保物に對する相手方の權利、擔保の取消、擔保物の變換については、民事訴訟法の規定が準用される（規則六條三項、民訴法一一二條、一一三條、一一五條、一一六條）。この擔保の性質は、保全處分における保證と同樣、執行停止、任意競賣手續停止について、申立人に不法行爲責任事由がある場合に、相手方に對して損害賠償義務を負うその擔保である。申立人が無過失擔保責任を負うのではない（擔保の提供は保證金の供託による。保證金の供託は、同文の供託書二通に保證金を添えて法務局に提出することによつて行われる。供託金を拂込むと供託書の末尾に受入れの旨が記載されてその供託書は返戻される）。

「申立」をするには「理由を疏明しなければならない」（規則六條二項）。疏明は證明ではない。當事者の主張する事實について、裁判官にそれが眞實であることを確信させることを證明といい、裁判官に一應確からしいという推測をさせる程度のことを疏明という。

强制執行手續又は競賣法による競賣手續を停止する裁判の形式は決定である。この執行停止の裁判があつても、それによつて當然執行が停止されるわけではない。この裁判を得たものが、この裁判の正本（民訴法五五〇條第二）を執行機關（執行吏、執行裁判所、受訴裁判所）に提供して、執行の停止を要求し、この要求に應じて、執行機關が現實に執行を停止することによつてはじめて、執行が停止される。現實の執行停止の方法は場合によつて異る。

執行停止の「裁判に對しては、當事者は、卽時抗告をすることができる」（規則六條四項）。卽時抗告がなされると、執行停止命令の執行力が停止される（規則二七條）。

即時抗告の手續は、民事訴訟法の抗告に關する規定により行う（法二二條、非訟法二五條）。

調停が成立し又は不成立その他の理由で終了すると、調停が終了するまで強制執行手續又は任意競賣手續を停止することを命じた決定の効力は失われる。そこで、供託した保證金の取戻、すなわち擔保の取戻の問題が起る。擔保を取戻すには、まず擔保取消決定の申立をして、擔保の提供を取消す裁判（決定）を求めなければならない。このとき、擔保提供者は、擔保を提供することを必要とした事由が止んだことを、例えば調停終了證明書を提出することによつて、證明しなければならない（民訴法一一五條一項參照）（調停終了證明書は、裁判所に調停終了證明願を提出して下附される）。あるいは、擔保取消につき擔保權利者（相手方）の取消同意を得たことを證明しなければならない（民訴法一一五條二項）。

相手方が取消に同意しない場合には、擔保提供者の申立によつて、裁判所は、擔保權利者に對して一定の期間内にその權利を行使すべき旨を催告することができる。この場合、その期間内に、擔保權利者がその權利を行使しないときは、擔保の取消に同意したものとみなされる（民訴法一一五條三項）。

裁判所の擔保取消決定に對しては、即時抗告をすることができる（民訴法四一五條四項）。即時抗告をなすことができる期間（一週間である。民訴法四一五條一項）が徒過するか、即時抗告に對する裁判が確定しなければ、擔保取消決定は確定しない。但し、擔保權利者である相手方が抗告權を拋棄したとき（民訴法四一四條、三六四條、三六五條）は、擔保取消決定は即時に確定する。

擔保取消決定が確定すると、擔保提供者は擔保を取戻す（まず供託書還付願を裁判所に提出して、供託書の還付を受ける。次に、この供託書に供託物取戻請求書を添えて法務局に提出する。このようにして供託した保證金が拂戻される)。

六　破産手續との關係

破産手續について考える。判例によれば、破産申立人の債權について商事調停の申立が受理されても、破産申立手續は、そのために中止されるべきではない(昭和五年四月一二日民三決棄却集九巻九號五九一頁、舊法においては、商事調停法二條は、前述のように、「訴訟手續ヲ中止スレ」という規定のしかたをしている借地借家調停法五條を準用していた)。判例の理由は次のとおりである。調停事件の目的は破産申立人だけの債權にすぎない。これに對し、破産手續は、申立人のみならず、總債權者のため、被申立人の資産全部に對し强制管理處分をなすことを目的とする。ゆえに、調停申立が受理されたからとて、破産手續までを中止すべきではない。もつとも、破産手續中調停が成立し、その結果、破産申立人の債權が消滅することもありうるが、この場合には、破産の申立が却下されればよい(以上前掲決定要旨)。

この判例の結論は、學者の支持を得ている(加藤正治判例民事法昭和五年度五八事件山田正三法學論叢二五巻一號一五八頁)。すなわち、債權者の破産申立により、破産宣告があつたとしても、そのために、その債權者の債權が確定するわけではない(破産債權は、その屆出により、債權調査會の調査を經て、何人も異議がなければ確定し、異議があれば、通常の訴訟によつて確定する)。したがつて、破産申立手續と調停の目的たる債權の存否の確定とは別問題である。したがつて、債權の存否について調停手續が開始されても、これによつて破産申立手續を中止すべきではない(加藤前掲)。破産手續は、破産宣告前においては、破産豫防のための强制和議開始の申立があつたときに限り中止されるべきである(和議法一七條山田前掲)。破産宣告後においては、破産申立人その他の破産債權者の債權の存否に關する判決手續はかえつて中斷される(民訴法二一四條)。したがつて、すでに係屬中の調停手續もかえつて續行しえなくなると解釋される。しかし、破産宣告前であれば、調停の申立はなすこともできるし、受理することもでき、かつ、破産の宣告は、これにかかわらずなしうる（山田前揭）。

七 假差押假處分手續との關係

判例によれば、假處分事件の訴訟手續は、本案に關する調停申立の受理によつて中止すべきものではない（昭和二一年三月五日大阪控民二決棄却法律新聞二八二二號一四頁）。その理由は次のとおりである。權利保全の目的のために行われる假處分事件の訴訟手續は、權利關係そのものの確定を目的とする本案訴訟手續の外に存在する。よつて、權利關係そのものの調停を目的とする商事調停の申立によつて、これを中止する理由は少しもない。調停申立の受理によつて、權利の保全すなわち假處分を必要とする事由が變動滅失又は減少するものでもないからである。

この判旨は正しい。調停の申立は、民事訴訟法七四六條にいわゆる本案の訴提起ではない。したがつて、假差押又は假處分の申請をして、假差押命令又は假處分命令を得たものが、調停の申立をしても、相手方から起訴命令の申立がなされたならば、期間内に訴の提起がなされないと、その假差押命令又は假處分命令は取消される（民訴法七四六條二項）。

第八章 調停手續

一　序

調停手續を規整する法規は、民事調停法のほかにいろいろある。まず、民事調停法に「定めるものの外、調停に關して必要な事項は、最高裁判所が定める」（法二三條）。これは家事審判法と同趣旨である（家審法八條）。

本條は、近時の立法例にならい、憲法第七十七條が、最高裁判所に、手續に關する規則制定權を與えた趣旨を尊重して、本法に定めるもの以外の必要な事項は、すべてこれを最高裁判所規則に委任することを定めたものである。この規定に基いて、民事調停規則その他が制定されている（總說三第三章參照）。

次に「特別の定がある場合を除いて、調停に關しては、その性質に反しない限り、非訟事件手續法（明治三十一年法律第十四號）第一篇の規定を準用する。但し、同法第十五條の規定は、この限りでない」（法二二條）。これは家事審判法と同趣旨である（家審法七條）。

これは、調停事件の性質が本來非訟事件であると考えられたところから、特別の定がない事項については、補充的に非訟事件手續法第一篇の規定によらせることにしたものである。舊法においても、解釋上同樣に取扱われていた。が本法は、家事審判法（七條）と同樣に、この點を規定上明らかにした。したがつて、調停手續における調書の作成、事實の探知、證據調、裁判の方式等は、すべて非訟事件手續法の規定によつてまかなわれることになる。なお「調停手續における裁判に對しては、最高裁判所の定めるところにより、卽時抗告をすることができる。その期間は二週間とする」（法二一條）。

「調停手續における裁判」というのは、調停手續における裁判で、積極的に、實體的な處分的な内容をもつた裁判をいう。消極的に實體的な處分的な行爲をしない裁判あるいはすることを拒絕した裁判（例えば、調停の申立を却下した裁判、移送の申立を却下した裁判）は含まれないと解釋する。前者については、最高裁判所の規則において定められたもののみに對し、即時抗告のみをすることができる（家審法一四條參照）。調停手續は簡易迅速の處理を建前とするからである。後者については、普通抗告をなすことができる（法二二條非訟法二〇條一項）。

最高裁判所の定める規則においては、移送の裁判（規則四條）、ある種の强制執行手續又は競賣法による競賣手續を停止する裁判（規則六條四項）、調停に代る決定に對する異議の申立を却下する裁判（規則二一條）、過料の裁判（規則二六條）に對して即時抗告が認められている。

抗告の手續には、民事訴訟法の抗告に關する規定が準用される（法二二條、非訟法二五條）。

普通抗告は執行停止の效力を有しないが、即時抗告に服する裁判（規則四條、六條一項二一條、二六條）は、即時抗告の提起によつて、その確定が遮斷されるとともに、一度發生した執行力（決定、命令は告知によつて即時に執行力を生ずる、法二三條、非訟法一八條一項）が停止される（規則二七條）（家庭事件における審判においても、これを受ける者に告知することによつてその效力を生ずるが、即時抗告をすることのできる審判は、確定しなければその效力を生じない（家審法一三條但書）から執行停止の問題は起らない）。

二　期日の指定・呼出

「調停委員會は、期日を定めて、事件の關係人を呼び出さなければならない」（規則七條一項）。

裁判官だけで調停を行う場合もに、同樣である（規則二〇條）。この種の規定は、舊法にもあつた（借調法二二條、六條、小調法三四條、一四條、商調法二條、金調法四條、鑛業法舊一五四條、一三六條、戰民特法一八條）。「事件の關係人」が當事者又は參加人を含むことはいうまでもない。

參加人でなくても、調停の結果について利害關係を有するものは、ここでいう事件の關係人に含まれる。なお調停の結果について利害關係を有しないものでも、事實上、調停の目的物たる係爭關係の發生、變更、消滅などについて直接に知識を有しているものも（例えば係爭權利の發生原因たる法律行爲をなした代理人、係爭關係成立當時の立會人など）、事件の關係人としてこれを呼び出すことができるであろう。證人訊問という嚴格な手續によらないで、證人的な立場にある人から事實を聽くことができるところに、調停のひとつの特長があるのであるからである。

期日の呼出については、期日に關する民事訴訟法の規定が準用される（法二二條、非訟法一〇條）。したがつて呼出の方法は、呼出狀の送達（通例は普通郵便を用いる）又は出頭者に對する期日の告知（民訴法一五四條）である。期日の呼出を受けて出頭しないものに對しては、過料の制裁が課せられる（法三四條）。そこで、あらかじめこの旨を知らせておくために、「呼出狀には、不出頭に對する法律上の制裁を記載しなければならない」（規則七條二項）。しかし、この記載がなかつたときは、不出頭に對して、制裁を課することができないというのではない。

調停の場所は、原則として裁判所（實際には法廷でなく調停室）である。しかし、「調停委員會は、事件の實情によつて、裁判所外の適當な場所で調停をすることができる」（規則九條）。裁判官だけで調停を行う場合も同樣である（規則二〇條）。これは、いわゆる現地調停である。家事調停においても、全く同樣である（家審規則一三二條）。舊法においても、現地調停は認められていた（小調法三〇條、金調法四條、戰民特法一七條、一九條、鑛業法舊一五〇條）。期日は、特別の規定がない限り、裁判所において開かれるから（裁判所法六九條、民事訴訟法二六五條一項參照）、その期日に關する規定の準用される非訟事件手續についても、同樣であると解釋される（法二二條、非訟法一〇條）。したがつて、現地調停の規定は、調停手續の便宜的性格に基くとはいえ、なお例外的規定ということができる。

三　本人出頭主義

「調停委員會の呼出を受けた當事者は、みずから出頭しなければならない」（規則八條、本文傍點筆者）。裁判官だけで調停を行う場合も同樣である（規則二〇條）。家事調停においては、「事件の關係人は、自身出頭しなければならない」（家審規則五條一項本文傍點筆者）。舊法においても、本人出頭が、制裁をもつて義務づけられていた（借調法七條、二二條、三二條、小調法一四條、三四條、四八條、商調法二條、金調法四條、戰民特法一九條三項、鑛業法舊一三八條）。

本人出頭が義務づけられたのは、當事者雙方から直接聽取することによつて爭議の實情を容易に知ることができること、及び、調停が當事者の互讓妥協によつて成立するものである以上、互讓妥協を決斷する當事者が出頭していることが調停を成立せしめる機會を多くすること、などの理由に基く。正當な理由がなくて出頭しない事件の關係人（當事者を含む）に對しては、三千圓以下の過料の制裁が課せられる（法三四條）。

舊法においては、裁判所における調停手續においては、制裁を課せられることはなく（例外鑛業法舊一九五條）、調停委員會における調停手續においては、制裁を課せられた（借調法三二條、小調法四八條、商調法二條、金調法四條、戰民特法一八條、鑛業法舊一九五條）。

家事審判法においては、「家庭裁判所又は調停委員會の呼出を受けた事件の關係人が正當な事由がなく出頭しないときは、家庭裁判所は、これを五百圓以下の過料に處する。」(家審法二七條)(但し、この五百圓は、本法附則一一條によって、三千圓に改められた)ことになつている。制裁の詳細については、第十八章――参照。

自身が、又は單身では出頭することができない。當事者は、「やむを得ない事由があるときは、代理人を出頭させ、又は補佐人とともに出頭することができる」(規則八條一項但書)。非訟事件手續法においては一般手續上の代理は認めているが、出頭代理は認めていない(非訟法六條)。調停においては實情をよく知る者の陳述が肝要であるからである。但し、「辯護士でない者を」と「の代理人又は補佐人とするには、調停委員會」又は調停を行う裁判官「の許可を受けなければならない」(規則八條二項、二〇條)。右の許可があれば、無能力者でも代理人又は補佐人とすることができ、許可がなければ、能力者でも代理人又は補佐人とすることができない。舊法においては、裁判所の許可が必要であつた(特調法七條但書、二二條、小調法一六條)。

當事者が辯護士でない代理人を出頭させる場合には、實務上は、代理許可願を裁判所に一通提出する(但書、三四條、商調法二條、金調法四條、戰民特法一八條、例外として、鑛業法舊一三八條二項においては、辯護士が代理人となるときは、裁判所の許可は不要であつた)。

家事審判法においては、事件の關係人が代理人を出頭させ又は補佐人とともに出頭することができる(家審規則五條)。

「やむを得ない事由があるとき」とは、出頭することができないことについて客觀的に相當な事情がある場合で(例えば本人の病氣、本人の親又は子の危篤、本人の娘の婚禮など)、そのような事情があるかないかの判斷は、當事者が行う。當事者の判斷が不當であるときは、調停委員會又は調停を行う裁判官は代理人の出頭を認めないことができると解釋する。補佐人とは期日において當事者とともに出頭し、その陳述によつて當事者を補助するものである。期日において當事者とともに陳述する限りにおいて存在する。したがつて單獨では存せず、期日外においても存しない。

「許可」は、代理人として調停期日に出頭し、適法に本人のために申述をなすことができるようにする處分、又は補佐人として期日に出頭し適法に陳述をすることができるようにする處分をいう。許可するかどうかは、調停事件の性質、代理人又は補佐人となる者の資格その他などを參酌して、調停委員會又は調停を行う裁判官の自由裁量で決定される。不許可の決定に對して、不服は申立てられえない。

この「許可」を、調停委員會又は調停を行う裁判官は何時でも取消すことができる（規則八條三項、二〇條）。舊法家事審判法をとおして、一貫した原則である。代理人又は補佐人が許可されるのは調停の成立をうながすために役に立つと考えられるからで、したがつて、代理人又は補佐人が現實には調停手續を進めてゆく上に却つて不適當な場合は、その代理人又は補佐人を認めるべきではないからである。この許可の取消に對して、不服を申立てることはできない。

「許可」された代理人は、出頭についてだけの代理人である。一般の手續上の代理については、法二二條に基き、非訟事件手續法六條によるべきである。

四　非公開主義

調停手續は公開せられるべきであるかについては、「調停の手續は、公開しない」（規則一〇條本文）が、しかし、「調停委員會は、相當であると認める者の傍聽を許すことができる」（規則一〇條但書）。裁判官だけで調停を行う場合も同樣である（規則二〇條）。

舊法においても、調停手續は、公開されないことになつていた（借調法八條、小調法二一條、三四條、商調法二二條、金調法四條、戰民特法一八條、鑛業法舊一四〇條）。家事審判法においても同樣である（家審規則六條）。

裁判手續は、憲法上公開されなければならないことになつている（憲法八二條）。調停手續は裁判手續でない。したがつて公開しなければならぬことはない。むしろ、爭議の實情を明らかにしかつ當事者間に妥協融和點を得る利便が得られる點では、公開しないほうがよいといわれている。

もつとも、全く傍聽が許されないとするのは適當でない。したがつて傍聽を認める餘地を殘しておくことが必要である。例えば、調停手續を見學したい者、あるいは事件の關係人でまだ參加していない者、又は參加しえないけれども、關心をもたざるをえない地位にあるものなどには、調停手續の傍聽を許すことが望ましいであろう。

舊法においても、裁判所は、相當と認める者の傍聽を許していた（借調法八條、但書二二條、小調法二一條但書、三四條、商調法二條、金調法四條、戰民特法一八條、三鑛業法舊一四〇條但書）。家事審判法にも明文がある（家審規則六條、但書）。

五　申立等の方式

調停手續における申立その他の申述の方式は、民事訴訟法一五〇條による（法二二條、非訟法八條）。民事訴訟法一五〇條によれば、

「申立其ノ他ノ申述ハ別段ノ規定アル場合ヲ除クノ外書面又ハ口頭ヲ以テ之ヲ爲スコトヲ得。

口頭ヲ以テ申述ヲ爲スニハ裁判所書記官ノ面前ニ於テ陳述ヲ爲スコトヲ要ス。

前項ノ場合ニ於テハ書記官調書ヲ作リ之ニ署名捺印スルコトヲ要ス」


舊法においても、同趣旨の内容をもつた規定があつた（借調法一〇條、金調法四條、小調法二三條、三四條、戰民特法舊一八條、商調法二條、鑛業法一四二條）。

六　期日の經過

1　調停手續の運營については、「調停委員會における調停手續は、調停主任が指揮する」（規則一七條）。
舊法においても調停主任が指揮するものとされていた（借調法一九條、小調法三一條、商調法二條、金調法四條、戰民特法一八條、鑛業法舊一五一條）。家事審判法にも、同趣旨の規定がある（家審規則一三四條）。

調停手續に明るい調停主任裁判官が中心となつて手續を運營することが、迅速かつ適法にしかも能率的に手續がすすめられることを可能ならしめるからである。しかし、實際においては、あつ旋をすることは調停委員だけで行つていることが多いようである。

2　意見の聽取　なお、農事調停においては、小作官又は小作主事が、鑛害調停においては、通商産業局長が、期日に出席し、又は期日外において、調停委員會に對して意見を述べることができる（法二七條）。のみならず、「調停委員會は、調停をしようとするときは」、農事調停においては「小作官又は小作主事」の、鑛害調停においては「通商産業局長」の意見を、聞かなければならない（法二八條三三條）。裁判官だけで調停を行う場合にもそうである（法二九條）。
舊法においても、同趣旨の規定があつた（小調法一八條、一九條、三四條、鑛業法舊一三九條）。

農事調停については、農業政策的見地をも考慮する必要があるので、それとの調整を圖るため、國又は都道府縣の關係行政廳の職員である小作官又は小作主事に、調停委員會に對する意見陳述の權限を與えることが必要であり、同時に、このものからの意見聽取を義務づけることが必要である。又、鑛害賠償の紛爭の解決に關しては、單なる私的な損害塡補の關係のみならず、鑛山企業の維持、育成に關する經濟政策的見地との調整を考慮する必要があるので、各地方における所管行政廳の長である通商産業局長に意見陳述の權限を與え、同時に、このものからの意見聽取を義務づけることが必要である。

この二八條の規定に違反した調停は無効であるか。當然無効ではない。むしろ、効力に影響はないと考えるべきであろう。

なお、調停委員會のほうでも、必要があると認めるときは、農事調停においては、農業委員會その他適當であると認める者に對し、鑛害調停においては、通商産業局長その他適當であると認める者に對し、意見を求めることができる（規則三一條・三五條）。裁判官だけで調停を行う場合も同様である（規則三二條）。小作調停法一八條ノ二に同趣旨の規定があつた。

3　和解の仲介　次に、調停委員會は、紛爭の實情により適當であると認めるときは、何時でも、農事調停においては農業委員會に、鑛害調停においては通商産業局長に、和解の仲介をさせることができる（規則二九條・三五條）。裁判官だけで調停を行う場合も同様である（規則三二條）。

小作調停については、從來勸解の制度（小調法一一條）があり、ことに昭和二四年の小作調停法改正（九條ノ二追加）以來、農地紛爭については、行政的解決の手段を第一次的に活用する趣旨から、農地委員會による勸解前置主義が採用されていた。が、その運用の實績は、必ずしも所期の成果をおさめたとはいい難く、ことに、昭和二六年三月農業委員會法の施行により新たに設けられることとなつた農業委員會は、從來の農地委員會、農業調整委員會、農業改良委員會の三者を統合したもので、農地委員會とは、その組織、性格をかなり異にしているから、農業委員會による勸解前置の制度は採用されなかつたのである。

けれども、農業委員會は、なお「農地等の利用關係の調整に關する事項」「農地等の利用關係についてのあつ旋及び爭議の防止に關する事項」などを所管としている。そこで、調停委員會が紛爭の實情により適當と認めて、進んでこれにその解決を依賴することは、事件の處理上適當である場合もありうるということで、從來のような、いわば任意的な勸解制度のみが存置された。

鑛害調停においては、從來は、「裁判所は、調停の申立を受理したとき、又は第百三十條の規定により事件が調停に附されたときは、調停の前に、當事者に對し、第百二十二條の規定により通商産業局長に和解の仲介の申立をすべきことを勸告することができる」（鑛業法舊一三二條）ことになつていた（第一二二條の規定というのは、當事者が通商産業局長に和解の仲介を申立てる權利を認めたもので、この和解の仲介の制度は、なお存續している）。

したがつて、「和解の仲介」は、從來の「勸解」と實質的な差はない。いわゆる私法上の和解をあつ旋することである。したがつて、農業委員會又は通商産業局長の仲介により和解が成立した場合でも、調停の申立の取下などの行爲がない限り、調停手續は當然には終了しない。また、仲介によつて成立した和解は、それだけでは債務名義とはなりえず、調停調書に記載されなければ、裁判上の和解と同一の効力は與えられない。

「農業委員會」は、市町村農業委員會であると、都道府縣農業委員會であるとを問わない。ただ、農地等の所在地を管轄する農業委員會であることは必要であろう。

調停委員會が、農業委員會に和解の仲介をさせたときは、裁判所は、小作官又は小作主事に對し、遅滯なく、その旨を通知しなければならない（規則二九條、二八條）。農業委員會の事務處理に關する小作官等の實際上の指導的立場を重んじたのである。

次に、農業委員會、あるいは、通商産業局長は、調停委員會に對し、紛爭の經過について陳述することができる（規則三〇條、三五條）。裁判官だけで調停を行う場合も同樣である（規則三二條）。小作調停法一七條に同趣旨の規定があつた。

なお鑛害調停において調停の目的となつた紛爭が農地その他の農業用資産の利用關係に關聯する場合においては、小作官又は小作主事は、調停委員會又は調停を行う裁判官に對し意見を述べることができる（規則三六條）。鑛害賠償の紛爭は、農地等の利用關係に關聯して、鑛業經營者と農民との間に生ずる場合が少くなく、このような場合には農業政策上の考慮を無視して、紛爭の解決をはかることはできないからである。

4　事實の調査　調停委員會又は調停を行う裁判官は、職權で、事實の調査をすることができる

（規則一二條一項、二〇條）。

又、調停委員會は、調停主任に事實の調査をさせ、又は地方裁判所若しくは簡易裁判所にこれを囑託することができる（規則一二條二項）。裁判官だけで調停を行う場合も同様である（規則二〇條）。

なお調査については、調停委員會又は調停を行う裁判官は、必要な調査を、官廳、公署その他適當であると認める者に囑託することができる（規則一三條、二〇條）。この調査の囑託を受けた者には、旅費、日當、宿泊料その他の費用が支給される（規則一四條）。その額は最高裁判所の規則によつて定められる（規則一四條、九條）。このために、民事調停法による申立手數料等規則が制定されている。

5　證據調　調停委員會又は調停を行う裁判官は、申立により證據調をする。が必要と認めるときは、職權で證據調をすることができる（規則一二條一項、二〇條）（借調法二三條、小調法三五條、鑛業法一五五條、商調法二條、金調法四條、戰民特法一八條、家審規則七條一項參照）。證據調は、證人訊問、鑑定人訊問、檢證、書證の取調等を包含し民事訴訟法による（規則一二條三項）（借調法二三條三項、小調法三五條三項、鑛業法一五五條三項、商調法二條、金調法四條、戰民特法一八條、家審規則七條三項參照）。又、調停委員會は自ら證據調をしないで、調停主任に委任して證據調をしてもらうこともできれば、裁判所に證據調を囑託することもできる（規則一二條二項）（借調法二三條二項、小調法三五條二項、商調法二條、金調法四條、鑛業法一五五條二項、戰民特法一八條、家審規則七條二項參照）。裁判官だけで調停を行う場合も同様である（規則二〇條）。

調停委員會又は調停を行う裁判官が證據調を爲す場合に、證人又は鑑定人の不出頭又は證言拒絶に對し、民事訴訟法の規定により制裁を課することができるか。疑問である。調停委員會又は調停を行う裁判官は、證人、鑑定人に對し、宣誓を命ずることはできる。

裁判所が囑託を受けた證據調の場合には、しかし、一般裁判所におけると同様、證人の不出頭、證言拒絶等について制裁を課することができる。

證據調の費用は、申立人に豫納させることができる（規則一五條）。豫納しないときは證據調をしないことができる。

證人、鑑定人には、旅費、日當及び宿泊料その他の費用が支給される（規則一四條）（家審規則九條參照、借調法二三條參照、小調法三五條四項參照）。その額は最高裁判所の規則で定められる（規則一四條九條參照）。このために、民事調停法による申立手數料等規則が制定されている。

6　調書の作成　調停手續については、調書が作成される。すなわち、「裁判所書記官は、調停手續について、調書を作らなければならない」（規則二條本文）。が、調停主任において、その必要がないと認めて、調書を作成しないことができる（規則一一條但書）。裁判官だけで調停を行う場合も同様である（規則二〇條）。

舊法においても、明文の規定があり、裁判所書記官が調書を作成することとされていた（借調法二一條小調法二四條三四條、商調法二條、金調法四條、戰民特法一八條、鑛業法一四三條、一五四條）。家事審判法にも、本法と全く同趣旨の規定が設けられている（家審規則一〇條）（なお、非訟法一四條參照）。

調停手續の經過を記錄しておくことはその手續を進めてゆくうえに必要かつ便宜であることもちろんである。調停が成立した場合には、成立した調停條項と、調停が成立した旨が、また調停が成立しなかつた場合には、當事者の主張の概要と調停が不成立であつた旨が、それぞれ調停調書に記載される。しかし調停が成立か不成立かに至るまでの經過について調書が作成せられる實例はほとんどないようで、次回の調停期日を指定した調書が作成されるか又は右指定を記錄に記載するに止まるようである。

第九章　調停前の措置

一　概　念

「調停委員會は、調停のために特に必要があると認めるときは、當事者の申立により調停前の措置として、相手方その他の事件の關係人に對して、現狀の變更又は物の處分の禁止その他調停の內容たる事項の實現を不能にし又は著しく困難ならしめる行爲の排除を命ずることができる。」(法一二條一項)。裁判官だけで調停を行う場合も同樣である(法一五條)。

舊法においては、ほぼ同趣旨の、簡單な規定があつた(借調法一三條、二二條、小調法二五條、三四條、農調法一一條、商調法二條、金調法四條、戰民特法一八條、鑛業法舊一四四條、一五五條)家事調停についてもそうである(家審規則一三三條)。

本法條は、調停委員會又は調停を行う裁判官が調停を成立させるためその手續を進めて行くについて特に必要がある場合には、手續終了に至るまでの假の措置として、事件の關係人に對し必要な事項を命ずることができる旨を定めたものである。例えば、調停手續中に、當事者の一方が調停の目的物を處分する等の行爲によつて、調停の成立を事前に妨害する虞があるような場合に、調停の成否確定までその行爲を禁止することによつて、紛爭解決のための基盤を保全することができるわけである。

この措置は、本來、執行力を伴わない(法一二條二項)が、三五條の罰則によつて、この措置は強力なものとされている。そこで、當事者の申立をまつて、はじめてこの措置が講じられうることとされ、また、必要な場合に限りこの措置が講じられうることとされ、命令事項も例示されて、その運用の適正が期待されている。

二　要　件

「調停のために」とは、調停の成立を可能容易ならしめるためにである。調停が成立した場合、その内容の實現を可能容易であらしめるためにではない。後者は前者の手段であつて、調停前の措置そのものである。

「特に必要があると認めるとき」とは、調停委員會又は調停を行う裁判官の裁量によつて特に必要があると認めるときである。當事者の申立があつても、特に必要があると認められないときは、調停前の措置として命じないことができる。

「當事者の申立により」命ずる。當事者の申立がないときは、命ずることができない。申立の方式等については、第八章**五**參照。

「調停前の措置」は、調停申立以前は含まれない。調停成立のために必要な場合という趣旨であるから、調停申立前、すなわち調停手續開始前においては、裁判所は必要な處分を命ずることができないと考えるべきであろう。調停前の措置は、民事訴訟における假處分とは異るからである。民事訴訟における假處分は、强制執行制度がその機能を十分に發揮することができるために、債務者の財産を現狀において確保することを目的としているが、調停前の措置は、直接には、調停そのものの成立を可能容易にすることを目的としている。

又、民事訴訟における假處分においては、本案訴訟がまだ係屬していないときは、假處分裁判所は債務者の申立によつて、相當に定めた期間内に訴を起すべきことを債權者に命ずることができ(民訴法七五六條、七四六條)、債權者が、この期間を徒過したときは、裁判所は、債務者の申立によつて終局判決でもつて、假處分を取消すことになつているので、假處分を受けた債務者の利益の保護が考慮されている。又、債務者は假處分決定に對して異議を申立てることができることになつており(民訴法七五六條、七四四條)、この點においても、債務者の利益の保護が考慮されている。

これに對し、本法では、そのような法的措置は講じられていない。したがつて、やはり、調停申立以前には、調停前の措置として、本條に定める事項を命ずることができない。

「その他の事件の關係人」にも一定の事項を命ずることができる。ただ參加人以外のものに對しては、この命令に從わない場合、過料の制裁でこれを強制する方法はない。事件の關係人の範圍については第八章二參照。

三　種　類

「調停の内容たる事項の實現を不能に」する行爲とは、例えば、物の引渡を求める調停事件において相手方がその物を毀滅しようとする行爲である。

調停の内容たる事項の實現を「著しく困難ならしめる」行爲とは、例えば、家屋の明渡を求める調停事件において相手方がその一部を第三者に轉貸する行爲である。又、例えば家屋明渡の紛爭で、家主の行爲によつて借家人が到底住居し營業するに堪えない狀況にされようとする場合の、その家主の行爲、借家人が家屋の占有を他の者に移してしまう虞のある場合のその借家人の行爲、土地明渡の紛爭で、地上の家屋が取毀されようとする場合、その家屋の取毀行爲もそうである。

「現狀の變更の禁止」とは、例えば、家屋明渡の紛爭において、借家人が借りている家屋を家主が內部改造をすることを禁止することである。「物の處分の禁止」とは、例えば、物の引渡を求める調停において、物の賣却、讓渡その他の處分をしないことを命ずること、金錢の支拂に關する調停において、財產の處分を禁止することなどをいう。

「調停前の措置」は、しかし、「行爲の排除」に限らない。例えば、物の引渡を求める調停において、相手方に物を占有させておいてはその滅損が甚だしい場合に、適當な保管人に物を引渡せという作爲を命ずる措置、金錢の支拂に關する調停において、一定額の金錢の供託を命ずる措置も、この「措置」に含まれる。

四　効　力

調停委員會が、調停前の措置として行う命令は、執行力を有しない（法一二條二項）。

舊法においては、明文はなかつたが、同趣旨に解釋されていた。本法はそれを明文化した。しかし罰則によつてこの措置は强化されている、すなわち、當事者又は參加人が、正當な事由がなくこの措置に從わないときは、裁判所は五千圓以下の過料に處する（法三五條）。

調停委員會が、この調停前の措置をする場合には、同時に、その違反に對する法律上の制裁を告知しなければならない（規則一六條）。しかしこの告知をしなかつた場合でも、過料の裁判の効力には影響はない。

本條の措置に違反してなされた行爲の効力については、私法上の効力には、影響はないと解釋される。

第十章　調停の取下と拒否

調停手續が終了する原因としては、調停の取下、調停の拒否、調停の不成立、調停に代る決定、調停條項の裁定、調停の成立がある。本章では調停の取下と拒否とを取扱い他は章を改めて取扱う。

一　調停申立の取下

調停の申立は、一般的にいえば、取下げることができると解釋される。調停の成立前、又は調停に代る決定が告知される以前においては、いつでも取下げることができる。調停に代る決定が告知された後は、たとい確定前であつても、調停の申立を取下げるには、相手方の同意を必要とすると解釋すべきであろう。調停に代る決定が確定した後は、相手方の同意があつても、取下げることはできない。

裁判所の職權によつて、事件が調停に付されたときは、その調停は、取下げの對象になりえない。

二　調停の拒否

1　概念　「調停委員會は、事件が性質上調停をするのに適當でないと認めるとき、又は當事者が不當な目的でみだりに調停の申立をしたと認めるときは、調停をしないものとして、事件を終了させることができる」（法一三條）。裁判官だけで調停を行う場合も同様である（法一五條）。家事調停の場合とほとんど同じ規定である（家審規則一三八條）。舊法においても、同趣旨の規定があつた（借調法二五條、商調法二條、小調法三七條、金調法五條二項、鑛業法舊一五六條、戰民特法一八條）。

この規定は、紛爭の內容が調停に適せず、又は調停の申立が權利の濫用と認められる場合に、調停委員會又は調停を行う裁判官が調停を拒否しうることを定めたものである。

2　要件　調停を拒否することができるのは二つの場合である。一は、事件が性質上調停をするのに適當でないときであり、他は、當事者が不當な目的でみだりに調停の申立をしたときである。

「事件が性質上調停をするのに適當でない」ときというのは、權利の行使が法律上義務づけられて性質上互讓の餘地がないとき（例えば株金や保險金の拂込義務を免除すること）とか、請求が公序良俗に反するとき（例えば、賭博の資金に貸借した金錢の請求又は支拂猶豫、銀行その他金融機關に對し、その經營の基礎に影響を與えるような多額の債務の履行猶豫又は免除）などをいう。

「不當の目的でみだりに調停の申立をした」ときというのは、訴訟の遲延や執行の回避のみを目的として調停の申立をするような場合をいう。例えば、舊法時代には、法律から見ても、道理から見ても、到底問題とならない事柄をとらえて調停の申立をなし、いたずらに相手方を煩わすような例もあり、ことに、調停のなされる間は、その事件についての訴訟手續が中止されるので、狡猾な訴訟の當事者は、訴訟をいたずらに引延ばす目的で、必要もない調停を申立て相手方の權利行使を妨げる例があり、甚だしいのになると、既に口頭辯論が終結して、いよいよ自分に不利な判決が下るという間際になつて調停を申立て判決の言渡を阻止しようとする例さえ少くなかつた。更に調停が不調に終つたり、又は調停の申立が却下されたにもかかわらず、執拗に同じ調停の申立を何度となく反覆するという事例もあつた。

3　事件終了宣言とその効力　「調停をしないものとして、事件を終了させる」とは、調停をしないという宣言をして調停手續を終了させ、その旨を調書に記載することである。調停委員會は、申立却下の決定をすることはできない。事件は裁判所に係屬しており、調停委員會は、裁判所の機關にすぎないから。

舊法においては、調停をしない場合にも、なお、事件は調停裁判所に係屬し、さらに裁判所の申立却下の決定を必要とするという解釋があつた。

本法では、調停委員會で調停をしないものとしたときに、裁判所の申立却下の決定を要しないで、調停事件の終了という効果が生ずる。このことは、裁判官だけで調停を行う場合も同様(法一五條)で、舊法(借調法三條、金調法五條一項、小調法二條、商調法二條、鑛業法舊一二八條、戰民特法一八條)と異り、裁判所の申立却下の決定は要しない（しかし、裁判所が申立却下をなしうる場合が全くないのではない。例えば、行爲無能力者の調停申立は却下されるべきであろう）。

4　通知　なお、調停委員會又は調停を行う裁判官が調停をしないものとして事件を終了させた場合には、裁判所は、當事者に對し、遲滯なく、その旨を通知しなければならない(規則二五條)。さらに、農事調停においては、小作官又は小作主事に對しても（規則三三條）、鑛害調停においては、通商産業局長に對しても（規則三五條）、遅滯なく、その旨を通知しなければならない。

5　不服申立について　この、調停をしないものとして事件を終了させる處置に對しては、不服を申立てることができるか。

舊法においては、裁判所の申立却下の決定という裁判があつたので、これに對する抗告が認められるかどうかという形で問題にされた。この問題に對する判例の態度は、次のとおりであつた。すなわち、判例によれば、調停の申立が、金錢債務臨時調停法五條に該當するものとして（昭和一〇年二月一八日民一決棄却集一四卷二號一三二頁）、あるいは、借地借家調停法三條に該當するものとして（昭和一一年七月二八日民二決棄却集一五卷一八號一五三五頁）、却下されたときは、この却下の決定に對しては、不服の申立をなすことはできなかつた（なお、商事に關する爭議ではないとして、商事調停の申立を却下した決定に對しても不服の申立はなされえなかつた（昭和一五年七月二〇日民三決棄却集一九卷一五號一二〇五頁））。

この判例の態度は、學說によつて激しく反對されていた（例えば、前揭昭和一〇年二月一八日民一決は、兼子一判例民事法昭和一〇年度一一事件評釋、薄根正男民商法雜誌二卷一號一二四頁以下、後藤清法と經濟三卷六號九八八頁以下によつて、前揭昭和一一年七月二八日民三決は、兼子一判例民事法昭和一一年度一〇二事件評釋、後藤清民商法雜誌五卷三號五四三頁以下によつて、前揭昭和一五年七月二〇日民三決は、豐崎光衞判例民事法昭和一五年度六八事件評釋によつて、反對されている）。

學說の代表的のものとして、兼子一判例民事法一一事件評釋の反對理由を擧げよう。それは次のとおりである。「苟も調停制度を設ける以上其の利用の阻止のみに急たるべきではなく申立の拒否の判斷は愼重にすべきが當然であり、又一般に裁判所に對する申立が却下された場合は明文を以て禁止しない限り上級裁判所の再審判を求め得るものと考うべきである、例えば民訴三五六條に依る和解申立の却下に對しては同四一〇條に依り抗告を爲し得べく、又非訟事件の申立却下にも一般に抗告が許されている（同法二〇條二項）。唯和議法による和議申立却下の裁判に對しては特に破産宣告を遷延することを慮つて不服申立を認めない（和議七條参照）。殊に不誠實其他不當の目的あるものと刻印附けられることは申立人にとつても堪え難い所であろう。或は調停申立が却下されても、改めて申立てれば足りることを理由とする見解があるが（小原直・金錢債務臨時調停法義解五三頁、借地借家調停に關し、吉田久・借地借家法規解說一一七頁）、同一裁判所に同一申立を繰返させるは無意義であり、又或は金錢債務調停法五條二項（借地借家調停法二五條も同趣旨）で、調停委員會を開いた後に調停を爲さざることとした場合は、裁判ではないから不服申立の途なきは當然であるとの權衡論から、裁判所の却下の裁判に對しても不服申立を許さぬと爲す說もあるが（長島毅・金錢債務臨時調停法解說六一頁、奥野健一・金錢債務臨時調停法の註解・法律時報四卷一〇號八頁）、調停申立は裁判所に對して爲すもので調停委員會は其の委任に基き行動する機關に過ぎぬから、不調停の決議のあつた場合にも裁判所は調停主任の報告に基き（借地借家調停法二六條參照）申立却下の決定を以て調停事件を終結せしめるを要すると解すべきであるから（同說薬師寺志光・借地借家法論三五一頁）、之を以て理由と爲し得ないと思う。故に調停申立却下の決定に對して抗告を許すべきものと考える（同說、借地借家調停に付薬師寺・前揭三四〇頁、商事調停に付武田貞之助・商事調停法論三〇〇頁）。唯此の抗告が民訴法四一〇條に依るか、非訟法二〇條二項に依るかは疑があるが、調停事件の非訟事件的性質に鑑み後者に依ると見るべきであろう（薬師寺前揭は、民事訴訟法に依るべしとの見解を採る）。何れにしても抗告には執行停止の効力はないから（非訟二一條、民訴四一八條一項）、申立却下の決定があれば調停事件の繫屬は一應消滅し、訴訟の中止の制限（金錢調停六條一項、借地借家調停五條）も除かれ、既に發せられた執行停止命令（金錢調停六條二項）も失効するから、抗告を認めても訴訟や執行を遅延せしめる懸念もないわけである（薬師寺前掲三四一頁参照）」。

さて、本法において、調停をしないものとして、法一三條一五條によつて、事件を終了させた場合、當事者はこれに對し不服申立をなしうるかについて考える。

本法の解釋としては、調停申立却下の裁判はなされないと解釋される。けだし、事件を終了させる措置は、調停委員會（又は裁判官）が行うのであり、裁判所はこの措置のあつた旨を、當事者に對し遲滯なく通知しなければならないにすぎない（規則二五條）からである（もし調停申立却下の裁判がなされるのであるならば、その裁判はこれを受けるものに告知しなければならない（法二二條、非訟法一八條一項）であろう）。したがつて、裁判がない以上、それに對する不服申立の方法はない。かといつて、異議の制度もないから、要するに、不服を申立てる方法はないと解釋せざるを得ない。

しかし、そうだとすれば、不當に、法一三條一五條により事件を終了させられたと主張する當事者の利益をどう保護するかという問題が殘る。すなわち、調停の申立が不當か否かの認定を調停委員會又は調停を行う裁判官のみに一任するのは問題である。調停申立は裁判所になされるので、調停委員會になされるのではないからである。さらに、この認定を、調停事件を管轄する裁判所に終審的に一任するのも問題である。當事者の利益の保護に十分でないところがあると考えられるからである。

第十一章　調停の不成立

一　概念

「調停委員會は、當事者間に合意が成立する見込がない場合又は成立した合意が相當でないと認める場合において、裁判所が第十七條の決定をしないときは、調停が成立しないものとして、事件を終了させることができる」。(法一四條、但し三一條參照)。裁判官だけで調停を行う場合も同様である(法一五條)。

舊法においては、明文がなかつた。したがつて、事件終了の時期等について解釋上の疑義を生ずる餘地があつた。この規定はその點を明らかにしている。すなわち、調停委員會あるいは調停を行う裁判官の認定によつて手續をうち切り、直ちに事件を終了させ得ることになつた。

二　要件

要件の一つは、「當事者間に合意が成立する見込が」ない場合である。これは、調停委員會あるいは、調停を行う裁判官の自由な判斷に委される。當事者の判斷や申立に拘束されない。合意が成立する見込がないときは、調停が成立しないものとして、事件を終了させるか、調停に代る決定(法一七條)をするか、いずれかであり、裁判所が、調停に代る決定をしないときに、調停不成立として事件を終了させる。

要件のもう一つは、「成立した合意が相當で」ない場合である。これも、調停委員會又は調停を行う裁判官が、自由裁量で判断する。當事者間に合意が成立しても、その内容が違法又は不當であつて、調停委員會又は調停を行う裁判官としてこれを承認しえないような場合に、調停不成立として事件を終了させる措置を取りうるとしたのは、調停を行う機關が單なる機會主義的な紛爭の仲介機關ではなく、あくまで具體的妥當な解決を目指すものであることを示すものである。この場合、しかし、さらに調停を續行することもできるし、場合によつては、調停に代る決定をすることもできる。そして調停に代る決定をしないときに、調停不成立として事件を終了させる。

三　調停不成立宣言、その通知

調停不成立の措置は、調停委員會又は調停を行う裁判官が行う。この措置は、實務上は、手續終了の旨の調書への記載である。裁判所はこの措置のあつた旨を、當事者に對し遲滯なく通知しなければならない（規則二五條、なお、家審規則一四一條參照）。さらに、裁判所は、農事調停においては、小作官又は小作主事に對し、鑛害調停においては、通商產業局長に對し、遲滯なく、その旨を通知しなければならない（規則三三條、三五條）。

四　訴提起

この調停不成立の措置によつて、「事件が終了し」た場合に、「申立人がその旨の通知を受けた日から二週間以内に調停の目的となつた請求について訴を提起したときは、調停の申立の時に、その訴の提起があつたものとみなす」（法一九條）。これは、家事審判法と同趣旨の規定である（家審法二六條二項）。

これは、調停の申立をしたものが、出訴期間を徒過し、又は出訴に伴う時效中斷等の利益を失うことを防止し、調停制度の利用者の保護を圖つたものである。例えば、貸金債權の消滅時效の完成間際に、貸金請求の調停を申立てたところが、不成立に終り、この間に時効が完成した場合、あらためて訴訟によつて右の貸金請求を行つたとすれば、調停申立のときにこの訴訟を起したものとみなされるので、この訴訟において、被告は、時効消滅の抗辯によつて原告の請求を排斥することはできない。又、占有訴訟のように、訴提起の期間が法定されている（民法二〇一條）事件については、調停を申立てたために、その期間を守ることができなかつた場合に、期間を經過した後に訴を提起しても、期間内に出訴したものとみなされる（實際においては、調停終了期日證明を訴狀に添えて證明する）。

訴訟係屬の効果が調停申立の時に遡らせられたことは、本法附則第一二條による民事訴訟用印紙法の一部改正（調停の申立の手數料と同額の印紙が訴狀に貼用されたものとされる。したがつて、訴狀には、必要な額と、調停申立の時に貼用した印紙額との差額に相當する印紙を貼用すればよい。調停申立の時に貼用した印紙額の證明のためには、貼用印紙額證明書を調停裁判所から下附してもらつて證明する）と相まつて、調停の申立人の訴權の實行を容易ならしめ、ひいては調停を輕視する不誠意の相手方の、調停に對する協力を促すこととともなり、調停制度の實効的運營に資することになる。したがつて、調停の申立を取下げたときは本條の適用はない。

二週間の期間は伸縮することができない。實體法上の權利の問題、訴訟の係屬に關するからである。しかし、申立人の責に歸することのできない事由で、申立人がこの期間を遵守することができなかつた場合には、訴の提起の追完をすることができるであろう（民訴法一五九條參照）。

第十二章　調停に代る決定

一　概　念

「裁判所は、調停委員會の調停が成立する見込がない場合において相當であると認めるときは、調停委員の意見を聞き、當事者雙方のために衡平に考慮し、一切の事情を見て、職權で、當事者雙方の申立の趣旨に反しない限度で、事件の解決のために必要な決定をすることができる。この決定においては、金錢の支拂、物の引渡その他の財産上の給付を命ずることができる」（法一七條）。裁判官だけで調停を行う場合には、調停に代る決定をすることはできない。

この種の決定については、舊法において、同種の制度があつた（金調法七條、戰民特法一八條、農調法一二條）。家事調停においても、殆んど同様の制度がある（家審法二四條、一五條）。

一方の當事者の頑固な恣意により、又は僅かな意見の相違によつて、調停が不成立に終るならば、それまでの手續は徒勞に歸し、調停制度の實効を收め得ないことになる。そこで、このような場合に裁判所が、調停條項に代るものとして、事件の解決のために必要な決定をなしうる道が開かれたのである。舊法においては、調停委員會が調停條項を作成する制度もあつた（借調法二四條、小調法三六條、商調法二條、金調法四條、戰民特法一八條）が、それは本法においては商事調停鑛害調停の特則としてのみ踏襲されている（法三一條、三三條）。いわゆる調停に代る決定をするのは「裁判所」であつて、調停委員會ではない。

二　要件

調停に代る決定をするのは、調停委員會の調停が成立する見込がない場合で、かつ裁判所が調停に代る決定をすることを相當とみとめる場合である。「調停委員會の調停が成立する見込がない場合」というのは、調停委員會が「當事者間に合意が成立する見込がない」、又は「成立した合意が相當でない」（法一四條）と判斷した場合をいう。調停委員會がそう判斷しないで、調停手續をすすめているのに、裁判所がそれと反對の判斷をすることができるとするのは適當でない。

調停委員會が調停成らずとして不成立の旨を宣言すると、もはや、調停に代る裁判はなされえぬか。舊法時代の判例によればこの場合は、通常調停裁判所の書記官から、本訴の係屬する第一審裁判に對し、調停不成立に終つた旨の通知がなされるが、これは調停手續の終了を通知したにすぎないので、この通知によつて、調停事件が調停裁判所に係屬しなくなつたというのではない。調停事件の係屬はなお相當期間存續するものであり、したがつて、その間に調停に代る裁判がなされた場合にはその裁判は有效である（昭和一九年八月一〇日民三判棄却民集二三卷一六號四三五頁）。

舊法においては、規定の文言が「調停委員會ニ於テ調停成ラザル場合ニ……」（金調法七條）であつたために、解釋上若干の疑義が生じたのであるが、しかし本法の解釋としては、調停委員會又は調停を行う裁判官が、調停が成立しないものとして事件を終了させるのは、當事者間に合意が成立する見込がない場合で、しかも裁判所が調停に代る決定をしないときであるから、調停に代る決定がなされるかなされないかが、明白にならない限り、調停が成立しないものとして事件を終了させることができない。したがつて、調停に代る決定がなされないときにはじめて調停不成立として事件を終了させるのであるから、調停不成立として事件を終了させた後は、當然、調停に代る決定はすることができない。

調停に代る決定をすることが「相當である」かどうかは、調停裁判所が判斷する。その際、舊法時代の判例によれば、「假令基本タル債權ノ成立ニ付キ當事者間ニ爭アル場合ニ於テモ諸般ノ事情ヲ參酌シテ調停ニ代ル裁判ヲ爲スコトヲ得ル」（囑託報酬戰時民事調停事件につき、昭和一八年五月一八日民一決棄却民集二二卷一一號三九〇頁。判旨のこの點は、菊井維大判民二四法協六二卷一號一四五頁によって、贊成されている）。けだし、基本債權の成立に爭がある場合、調停はなされうることには異論はないであろう。問題は調停に代る裁判がなされうるかであるが、基本債權に少しでも爭がある以上、その爭の程度如何を問わず、常に調停に代る決定をなしえないとするのは、調停の行われる地盤において既に爭を前提としていることに照しあわせると、狹すぎる解釋であると考えられる。

三　決　定

調停に代る決定をなすに當つては、「調停委員の意見を聞」かなければならない。又、農事調停においては、小作官又は小作主事の、鑛害調停においては、通商産業局長の意見を聞かなければならない（法三〇條、二八條、三三條）。決定をするかどうかについて、意見を聞くのではなく、決定の内容をいかにすべきかについて意見を聞くのである。しかし、裁判所は、調停委員（あるいは、小作官又は小作主事、もしくは通商産業局長）の意見に拘束はされることはない。

「當事者雙方のために衡平に考慮し」て調停に代る決定がなされなければならない。この決定は、當事者の意思にかかわらず當事者の間に權利關係を創設する結果を生ずるからである。

「職權」で、調停に代る決定がなされる。當事者の申立をまたない。當事者の申立があつても、それに拘束されない。

「當事者雙方の申立の趣旨に反しない限度で」決定がなされる。これは、紛爭につき、當事者のいずれかの主張する解決方向の範圍内でという意味である。例えば、支拂うべき金錢の額を爭う調停事件において、二萬圓と一萬圓との金額の間にのみ爭がある場合に、二萬五千圓の支拂を命じたり、物の引渡を爭う調停事件において、物の第三者への賣却を命ずることはできない。

調停に代る決定は、非訟事件手續法によつてなされる（法二二條）。舊法においてもそうであつた（金調法八條農調法一二條二項）。

この決定は形成の裁判である（小野木常調停法概説二一頁は調停に代る裁判は所謂形式的形成行爲として係爭法律關係の形成につき當事者の意思の欠缺を補充する純然たる形成裁判であるという）。

四　異議の申立

調停に代る「決定に對しては、當事者又は利害關係人は、異議の申立をすることができる。その期間は、當事者が決定の告知を受けた日から二週間とする」。この期間内に異議の申立があつたときは、調停に代る決定はその効力を失う。

この期間内に異議の申立がないときは、調停に代る決定は、裁判上の和解と同一の効力を有する（法一八條）（金調法一〇條參照）。家事調停における調停に代る審判においては、「確定判決と同一の効力を有する」ことになつている（家審法二五條）。

舊法においては、調停に代る裁判に對しては、即時抗告を認め（金調法九條、戰民特法一八條、農調法一二條三項）、確定した裁判に裁判上の和解と同一の効力（金調法一〇條）を與えているが、調停の對象となる紛爭は、大體において訴訟の對象ともなり得るものであるから、簡易な非訟事件的手續に基く裁判によつて當該紛爭について有する訴權を終局的に奪う結果を齎すおそれがあることは不當であり、また、かような强制的解決の契機を調停制度のなかに導入することは自主的な解決を基調とする調停の本旨とも反するので、本法では、家事審判法にならつて、調停に代る決定は相手方の異議申立により失効することとし、異議がない場合にのみ、裁判上の和解と同一の効力を認めることとした。しかし、この場合は當事者間に和解契約が成立したという私法上の効果は認められないであろう。調停に代る決定は、當事者の意思の合致ではないからである。

「利害關係人」も異議を申立てることができる。利害關係人とは、調停の結果につき利害關係を有する者（法一一條）である。これは例えば、賃借權の讓渡を命ずる裁判における賃貸人、債務の支拂を命ずる裁判における保證人などの利害を考慮した結果であり、將來になお何らかの紛議を釀す餘地があるような場合には、むしろこの異例的な裁判の効力を失わせるにしくはないという趣旨からであるとされている（最高裁民事局解說三五、六頁）。しかし、利害關係人についても、異議申立期間の起算點は、當事者に對する告知の日であろう。利害關係人の範圍を抽象的に一般的に確定することは不可能であり、かりに確定しえたとしても、利害關係人が決定のあつたことを知つた日を起算點とするときは、決定の確定が不當に遲れることになりうるからである（家審規則一三九條二項參照）。利害關係人が適法に異議の申立をしたときは、當事者が異議を申立てていないときでも、決定は効力を失う。

調停に代る決定に對し、法定期間内に異議の申立があつて、決定が効力を失つたときは、裁判所は當事者に對し遅滯なく、その旨を通知しなければならない（規則二五條、なお家事審判規則一四一條參照）。さらに裁判所は農事調停においては、小作官又は小作主事に對し、鑛害調停においては、通商産業局長に對し、その旨を通知しなければならない。

二週間の期間は、決定の告知を受けた日から起算する（家審規則一三九條二項參照）。この期間の計算法は、民事訴訟法一五六條による（法二二條、非訟法一〇條）。この期間は伸張されうるか。されうるであろう（民訴法一五八條參照）。法定期間中に異議の申立がないときは、調停に代る決定が、有効に成立するが、いつ成立したことになるか。異議申立期間が經過したときであるか、決定受諾（＝異議權抛棄）の意思表示が裁判所に到達したときであるか。異議申立期間内に決定を受諾した場合には、その意思表示が裁判所に到達したときに、決定は有効に成立し、そうでない場合には、異議申立期間が徒過されたときに、成立する。

第十三章　調停條項の裁定

一　概　説

「商事の紛爭に關する調停事件」（法三一條）及び「鑛業法に定める鑛害の賠償の紛爭に關する調停事件」（法三二條）においては、「調停委員會は、當事者間に合意が成立する見込がない場合、又は成立した合意が相當でないと認める場合において、當事者間に調停委員會の定める調停條項に服する旨の書面による合意があるときは、申立により、事件の解決のために適當な調停條項を定めることができる。」（法三一條一項、二三條）。この場合、調停條項を定めようとするときは、當事者を審尋しなければならない（規則三四條三五條）。そして、この「調停條項を調書に記載したときは、調停が成立したものとみなし、その記載は、裁判上の和解と同一の効力を有する」（法三一條二項、三三條）。

調停委員會が調停條項を作成することについては、舊法においても同趣旨の規定があつた（借調法二四條、小調法三六條、商調法二條、金調法四條、戰民特法一八條）（鑛業法においては、調停委員會が、仲裁判斷をすることができる旨の規定があつた（鑛業法舊一六三條））。

この法三一條の規定は商事紛爭について、調停委員會に實質上の仲裁的權限を與える趣旨の規定である。本來商事紛爭は、その性質上、長期にわたりかつ多額の費用を要する訴訟的解決よりも、專門業者の間の合理的打算の上に立つ迅速な自主的解決に親しむ。舊商事調停法も、商事調停委員會に當事者の合意がある場合に仲裁判斷をなす權限を與え（商調法四條）、歐米における商事仲裁制度と同樣に、それが活用されることを期待した。がその仲裁判斷の手續や効力が、煩わしい民事訴訟法の規定による（商調法四條一項、民訴法七八六條―八〇五條）ためか、國民の利用するところとならず、その規定は、有名無實の觀を免れなかつた。そこで、本法は、從來廣く國民に親しまれてきた調停手續上の簡易な措置として、實質的仲裁の機能を營ましめ、その利用を促進しようとするのである。特に當事者の書面による合意を必要としたのは、その愼重確實を期したものであり、合意の成立の時期は、調停申立の前後を問わない趣旨である。鑛害調停についても同じ制度が採用されたのは、仲裁的解決に親しむという點においては、鑛害調停も同樣である(鑛業法舊一六三條一六四條參照)からである。

二　解　釋

「商事」とは、商法第一條にいわゆる「商事」である。商法の適用を受ける事項である。例えば、絶對的商行爲(商五〇一條)、相對的又は營業的商行爲(商五〇二條)、附屬的商行爲(商五〇三條)、その他會社に關する事項がそうである。したがつて、商人相互の紛爭はもちろん商人と商人でないものとの間の紛爭も、「商事の紛爭」である。又、商人が商賣のためになした行爲に關する紛爭は、直接商賣に關するものでなくても「商事の紛爭」である。例えば、商人が、店舖又はその敷地を買入れ、又は賃借している關係、番頭、小僧を雇入れている關係においての紛爭——番頭、小僧の給料、待遇等に關し、主人とこれらの者との間に起つた紛爭を含む——も「商事の紛爭」である。商人が店舖又はその敷地を賃借した場合の紛爭は、宅地建物調停事件であるのが普通であるが、三十一條の適用も可能であろう。會社の設立、社員、株主と會社の關係等に關する紛爭も、「商事の紛爭」である。このほか、利益を得る目的で、動産、不動産若しくは有價證券を賣買すること、手形を振出したり裏書したりしたことに關する爭は、それが商人でないものによつてなされた場合でも「商事の紛爭」である。

「調停委員會」が、調停條項を定める。裁判所ではない。

「當事者間に合意が成立する見込がない場合又は成立した合意が相當でないと認める場合」については、第十一章二參照。

「當事者間に調停委員會の定める調停條項に服する旨の書面による合意があるとき」に限つて、調停條項を定めることができる。

「合意」の成立の時期は、調停申立の前後を問わない。合意は必ず書面によらなければならない(法三一條一項)。

「合意」があつても「申立」がない限り、調停條項を定めることはできない。「申立」は當事者のいずれか一方の申立でよい。

この「申立」があつた場合、裁判所は、法一七條による調停に代る決定は、なしうるか。この申立がある以上、申立のほうが尊重されて、法一七條による決定はなされるべきではないであろう。それは、調停に代る決定は、裁判所の能動的な、當事者の意思にかかわらない決定であるのに對し、調停條項の裁定は、調停委員會の受動的な、當事者の意思に基くものであり、調停手續においては、當事者の自主性、任意性が最も尊重されるべきであるからである。又、法一七條の決定をなしうるのは、調停が成立する見込がない場合でかつ相當であると認めるときであつて、調停條項の裁定の申立があつたときは、當事者間に合意が成立する見込がない場合（又は成立した合意が相當でないと認める場合）ではあるけれども、裁定された調停條項が調書に記載されたときは、調停が成立したものとみなされるのであるから、なお調停が成立する見込があるときであるというべきで、したがつて、法一七條の決定はなしえないといわなければならない。

「適當な調停條項」とは、紛爭の實情から判斷して當事者雙方の利益を公平に裁定した調停條項をいう。何が適當であるか何が公平であるかは、調停委員會の良識に委ねられる。調停條項の内容となる事項は、紛爭の目的たる事項である。

調停條項は、當事者でない利害關係人に義務を課するような條項は含みえないと解釋すべきであろう。蓋し、事件に利害關係を有するとはいえ、當事者でないものが、合意もしないのに、强制的に調停條項を押しつけられることは、その者の利益を無視することであり、調停制度の趣旨に反するからである。

調停條項が定められると、調書に記載される。調書記載前に、事實上、この調停條項に對し、異議の申立が爲されることがありえようが、それは法律上の効力を有しない。

調書の記載及びその効力については、第十五章參照。

第十四章　調停の成立

一　概　説

「調停において當事者間に合意が成立し、これを調書に記載したときは、調停が成立したものとし、その記載は、裁判上の和解と同一の効力を有する」(法一六條)。

舊法においては、調停委員會の調停において合意が成立した場合と裁判官だけの調停において合意が成立した場合とでその取扱を異にし、後者の場合には、直ちに裁判上の和解と同一の効力が認められたが、前者の場合にはさらに裁判所の認可決定をまつて始めてこの効力を與えられるものとされていた（借調法二八條、小調法四〇條、商調法二條、金調法四條、戰民特法一八條、鑛業法舊一五七—一五九條）。これは、民間人を構成員とする調停委員會によつて成立した調停については、裁判上の和解↓確定判決と同一の効力を付與するに先立ち、法律的見地からその内容を審査するためであつたが、調停委員會の構成員には裁判官が加わつているので、法律的見地からする審査の點に遺憾はなく、又、實際上の取扱において裁判所が不認可決定をした事例はほとんど皆無であつたところから、すでに家事審判法においては、家事調停についてこの認可決定の制度が廢止されている。本法においても、同樣の趣旨から、この制度は採用されていないのである。

調書の記載が、裁判上の和解と同一の効力を有する點は、舊法を踏襲したものである（借調法一二條、小調法二七條、四〇條、商調法二條、金調法四條、鑛業法舊一四六條、戰民特法一八條）。家事審判法上の調停においては、調書の記載は、確定判決と同一の効力を有する（家審法二一條）ことになつている。それは、家事調停は、人事に關する訴訟事件その他一般に家庭に關する事件について行われ（家審法一七條）、人事に關する訴訟事件については、職權探知主義が行われ、和解が許されないからである。

二　合意の成立と調書の記載

調停において當事者間に合意が成立したときは、當然に調書に記載されるわけではない。調停委員會又は調停を行う裁判官は成立した合意（調停條項）が相當でないと認めるときは、調書への記載をしないこと、すなわち調停不成立として事件を終了させることができる（法一四條）。この點裁判上の和解と異る。それは、裁判上の和解は、當事者の處分が認められる事項について、當事者の自由な處分による解決を目的とし、當事者の感情を融和し、互讓の精神によつて當事者を妥協させることのみを目的とするが、その條項が、條理乃至道義に合するかどうかは實際上は問うけれども理論上これを問わないのに對し、調停においては、前述（總說第一章）のように條項が條理にかなうこと、いいかえれば具體的客觀的に妥當であることを必要とするからである。

三　調停の成立と調書の記載

調停の成立には、調書の作成が必要かについては解釋はわかれている。調停の成立には、必ずしも調書に記載されることを必要としないという解釋がある（すなわち、調停調書の記載自體は、和解調書の記載と同じく、單に一の公證行爲たるにすぎないという）。これに對して、當事者雙方の意見が一致して調停の成案ができたが、その當事者の一方が飜意したため調停不調に終つたという事例について、調停は私法上の契約であるとともに調停法上の行爲であつて、當事者は調停法上の効果を意欲してなすものであるから、その成立の時期は特別の事情がない限り、異議なく調書が作成された時であると判示した判例がある（戰時民事特別法による調停事件についての東京控判、昭和二一年五月八日判決總攬（1）一七七頁）。

調書への記載が調停の成立と効力發生の條件であると考えるべきである。裁判上の和解と同一の効力という訴訟法上重大な効力を有する行爲は、明確であることを必要とし、そのために、書面の形式をとることが必要であるとすべきであり、又、合意が成立した段階では、成立した合意が相當でないと認められて、調停が成立しないものとして事件が終了させられる場合（法一四條）と、調書に記載されて、調停が成立したものとされる場合（法一六條）との二つの可能性を殘しており、他方、合意を撤回する餘地も殘つているから、合意の成立をもつて、直ちに調停の成立とすることができないからである。

四　調停の法的性質

調停調書の記載は、裁判上の和解と同一の效力を有する。そこで、調停の法的性質も、裁判上の和解と同一であろうかという疑が起るのである。

1　裁判上の和解の性質

裁判上の和解の法的性質は、訴訟上の和解（民訴法二三六條）について論ぜられ、見解は、私法行爲說、訴訟行爲說、兩行爲混合說に分れている。

私法行爲說によれば、訴訟上の和解は、私法上の和解契約が、裁判所において訴訟手續中になされるものである。調書の記載は、和解契約の存在を公證するものである。訴訟終結の效果が生ずるのは、紛爭の消滅により、訴訟が目的を缺くに至るからである。あるいは、原告が訴を取下げるからである。確定判決と同一の效力が生ずるのは、法が調書の記載に、そういう效果を附與したからである。

訴訟行爲說によれば、訴訟上の和解は純然たる訴訟行爲である。が、その性質については、さらに合意說と合同行爲說に分れる。合意說についても二樣があり、一は、訴訟上の和解は訴訟終了の合意であるといい、他は、それは判決に代る內容を作成する合意であるといい、終局判決の代用物として、訴訟終結の效果を齎し、訴訟物について旣判力等を有するのであるという。合同行爲說は、兩當事者が互譲によつて決定した訴訟物たる紛争を解決すべき法律關係の成立をば、一致して裁判所に對し陳述する訴訟上の合同行爲であるという。

兩行爲混合説は、兩行爲競合説（一行爲二性質）と、兩行爲併合説（二行爲二性質）とに分れる。前者によれば、訴訟上の和解は、當事者の訴訟を終了させる合意である點では、訴訟行爲であり、和解の內容たる係爭權利の處分について當事者雙方間になされた意思表示である點では私法上の契約である。この二つの性質は、不可分に合體し、一の失効は當然に他方の失効を生じさせる。後者によれば、訴訟上の和解においては、私法上の和解契約の外に訴訟法上の訴訟終了の合意が併存し、前者と後者とは獨立の効力を生じ、後者は前者の有効を前提とする。

判例は、兩行爲競合説の立場にあるということができる（大正九年七月一五日民二判破毀差戻錄二六輯一四卷九八三頁、大正一一年七月八日民三判棄却集一卷七號三七六頁、昭和六年四月二二日民三決取消差戻集一〇卷七號三八八頁、昭和一〇年九月三日民二判棄却集一四卷二一號一八八六頁、昭和一四年八月一二日民四判棄却集一八卷一四號九〇三頁）。

2　調停の性質　　前述のように、裁判上の和解の性質については見解が分れている。裁判上の和解の性質を考えるにあたつて問題となつた點は、調停の性質を考えるときにも同様に問題となる。そこでわれわれは、その點を考慮に入れつつ考えなければならない。

調停において當事者間に合意が成立したとき、その合意の內容は調停條項とよばれる。調停條項は當事者間の權利義務關係を具體的に規定したものである。當事者間に成立した合意は、調停條項が表現する具體的權利義務關係の發生を欲する兩當事者の意思の表示の合致である。したがつて、この點においてはそれは私法上の契約に類する。

しかし、ここで二つの場合を別けて考えなければならない。ひとつは、當事者間に成立した合意が相當でないと認められた場合である（法一四條）。この場合には合意は、調停法上の効果は生じない。そうすると、問題は、私法上の効果は生ずるか、であるが、私法上の効果も生じないと解釋される。それは、調停委員會又は調停を行う裁判官によつて相當でないと認められるような合意の内容たる調停條項は、當事者の意思においてもこれを合意の内容として欲したとは認められないからである。もう一つは、當事者間に成立した合意が相當であると認められた場合である。この場合には、合意とその内容（調停條項）が調書に記載され、調書の記載によつて調停は成立しその記載は裁判上の和解と同一の効力を有する。すなわち確定判決と同一の効力を有する。そこでわれわれは、この調書に記載された合意の性質を考えなければならない。

思うに調停は、訴訟係屬中に申立てられるとは限らない。したがつて調書に記載された合意は訴訟終了の合意であるということはできない。又、調停は、訴訟によらないで紛争を解決することの合意であるということも適當でない。そのような合意は、訴權拋棄の約束であつて、調停手續において、そのような合意がなされることを、調停制度は認めていないからである。

又、調書に記載された合意が、私法上の合意たる性質と、調停法上の合意たる性質とを兼ね具えているとするのも適當でない。それではたとえば未成年者が調停における合意をした場合、それは取消しうるに止まるのか、無効であるのか、說明に窮するであろうからである。が、調書に記載された合意が私法上有効であることを條件として調停法上も有効であるとすることも適當でない。それでは、私法上の合意が有効である限りにおいて調停調書に既判力があるということになり、それは既判力というものを無意味にするであろうからである。かといつて調停調書に既判力はないという解釋は正しくない。調停による紛爭解決のしかたは、たんに債務名義を簡易迅速に與えることであるというべきではなく、爾後同一紛爭を蒸しかえすことを許さないこと（爾後同一問題について、すべての裁判所をして、これと異る判斷をすることを許さないことによつて）でもあるからである。

又、調書に記載された合意が、合同行爲であるというのも肯けないものを含んでいる。合同行爲は、方向を同じくする二個以上の意思表示の合致である。しかるに、合同行爲說によれば、調停における合意は、調停條項の成立を一致して裁判所に對して陳述する行爲である。しかし、これは觀念の通知であつて意思表示ではない。したがつて、それは合同行爲的であるとはいうことができても、合同行爲そのものではない。

思うに、私法上の合意（＝契約）は私法上の効果を生ずる。それは當事者がその効果を欲するからである。當事者がその効果を欲するがゆえにそのとおりの効果が生ずることを私法が認めているのは私的意思の自治を認めていることに基く。契約の効果は、私法上の權利義務の發生である。しかしその私法上の權利が、國家の强制力によつて、事實上、實現されるためには、それに先立ち、その存在が裁判所によつて確定される（判決手續）など、國家の定める手續、方法によつて、事實上實現されるに足るだけの資格を認められなければならない。すなわち、契約上の權利は、それが發生する段階と、それが强制執行によつて事實上實現される資格を獲得する段階とが區別され、前者の段階は私的意思の自治の原理により支配され、後者の段階は國家の定める手續による。

ところが、調停における合意は、前述のように、調書への記載によつて、成立し、かつ効力を生ずる。そして調停調書は、債務名義たる効力を有する。したがつて、調停においては、私法上の權利の發生と、それが事實上實現される資格の獲得とが、同時に行われるということができる。そこで、では、調停調書は、實現される權利を表示する債務名義に止まるか（例えば公正證書と同じく）、それとも、實現される權利を表示するのみならず、これを確定する債務名義（例えば確定判決と同じく）であるか、が問題となるが、それは後者であるというべきであろう。調停調書には、前述のように、既判力が與えられているからである（第一五章參照）。

以上のべたところから、われわれは、調書に記載された合意は、その內容は當事者の意思の一致によつて定められたものであるが、同時に、國家機關によつて相當と認められたものであり、國家機關が、調書の內容をいわば認可したがゆえに、調書に確定判決と同一の効力が與えられているのであるということができる。

五　調停調書の解釋

調停の効力は、確定判決の効力と同一視される。が、調書に記載された合意は當事者の意思表示を要素とするから、調停調書は裁判のような裁判所の一方的かつ權威的な意思ないし判斷の發表であるということはできない。しかし、調停調書が、當事者の意思表示を記載したものであるとすれば、その文言の解釋に當つて、一般の法律行爲についての解釋の法則に從い、使用された文字のみに拘泥することなく、その解釋に資することができる文言以外の諸般の事情をも參酌して、當事者の眞意を探求することを要することはいうまでもない。したがつて、調停調書を債務名義とする場合においても、執行をすることができる給付請求權の内容は、右の解釋方法に從い、調書の文言のほか一切の事情を參酌してこれを定めなければならない。例えば、調停調書に、債務者が負擔する給付義務の内容として、「土地明渡」のみが記載されている場合、その文言と當時の他の事情とを參酌して、當事者が地上物件收去行爲をも包含させる意思でその給付を解したものと認めることができるならば、この「土地明渡」という文言は地上物件の收去行爲をも包含した宅地の占有移轉行爲を表示したものと解釋しなければならない（裁判上の和解に關して、昭和八年一一月二四日決定裁判例〔七〕二六七頁參照）。また、一定の建物の外に、「其他一切ノ建物」と表示してある調停調書の趣旨は、調停當時現存すると否とにかかわらず、現實に執行をなす當時、明渡の目的である宅地の上に存在するすべての建物を收去した上、更地として宅地を明渡すことを約したものである（昭和一〇年一一月一九日決定裁判例〔九〕二八六頁參照）。したがつて、右のような調停調書に基いて、建物の收去命令（取毀命令）（民法四一四條二項民訴法七三三條）を求める申請があつた場合には、第一審の受訴裁判所は調停調書の趣旨を合理的に認定して、建物の收去命令の許否を決めなければならない。なお、收去命令なしに建物收去の執行が完了された場合には、債務者はこの事由をもつて、もはや强制執行に對し異議を主張することができない（和解調書に關して、昭和六年一一月二〇日民五判棄却新聞三三四五號一三頁參照）。

六　調停調書の更正

調停調書が、本來表現すべきであつたところの内容を正しく表現していないときは、その内容に變動を與えない限り、表現の誤謬を訂正し補充することは認められるべきである。この必要が存在する點では、判決と變りない。したがつて、判決に更正が認められているように、調停調書についても更正が認められるべきであり、その手續は、判決の更正手續（民訴法一九四條）に準じてしかるべきである（昭和六年一二月二三日東地決棄却法律新聞三五五九號一〇頁。裁判上の和解調書については大審院の判例があり、學者の支持を受けている。昭和六年二月二〇日民五決棄却集一〇卷二號七七頁、兼子一判例民事法一〇八事件。なお、大正一三年八月二日民三決棄却集三卷一一號四五九頁、加藤正治判例民事法大正一三年度九三事件評釋參照）。更正決定を行うのは、裁判所であつて、調停委員會でも調停を行う裁判官でもない（前掲東地決）。更正決定を行う裁判所は、更正さるべき裁判をなした裁判所に限られる（判例は反對である。大正一二年四月七日民三判棄却集二卷五號二一八頁は、判決の更正決定は上級裁判所でもなしうるとして、菊井維大判例民事法大正一二年度四一事件評釋によつて反對され、昭和六年二月二〇日民五決棄却集一〇卷二號七七頁は、和解調書の更正決定について抗告裁判所でもなしうるとして、兼子一判例民事訴訟法一〇八事件によつて反對されている）。したがつて、調停調書の更正決定を行う裁判所は、その調停を成立させた裁判所である。

調書の更正は、申立又は職權により行われる。更正は決定という形式の裁判で行われる。更正の申立を認容しないときは棄却の決定、認容するときは、どの誤りをどう更正するという内容の決定がされる。調書の記載を訂正加筆するのではない。更正は、違算、書損、その他これに類する明白な誤謬があるときに限られる。例えば、金額五萬五千圓と書くべきところを、五萬五百圓と記載したときは更正をなしうる。

更正決定は、相當と認める方法（通常は裁判の正本の送達）で告知することによつて効力を生ずる（民訴法二〇四條參照）。この効力によつて調書は、調書の作成のときから、更正された内容の調書であつたことになる。

七　調停の成立と訴訟手續

調停が成立すると、調停法上の効果として調停手續が終了する。しかし、訴訟係屬中の事件について調停手續が開始され、その調停が成立した場合には、訴訟手續はどうなるかが問題となる。受訴裁判所によつて職權で調停に付された事件について、調停が成立したときは、訴の取下があつたものとみなされる（法二〇條二項。なお、この趣旨は、本法附則二一條により、家事調停についても採用された）。そして、このときは、調停事件の係屬した裁判所は、受訴裁判所に對し、遲滯なく、その旨を通知しなければならない（規則二四條）。

次に、申立による調停が成立した場合は、一般には、訴訟事件について、訴の取下がなされているようである。しかし、理論的には、調停が成立した範圍で、確定判決と同一の効力が生ずるから、訴訟は當然に終了し、あえて取下について合意をする必要はない、と解釋される（裁判上の和解に關しては、こう解釋するのが通說である）。

もし、調停による訴訟の終了につき爭があつた場合、すなわち、訴訟を終了させる調停の存否あるいは効果について爭が存在する場合どのような手續が踏まれるべきかについては、當事者から、期日指定の申立という形で訴訟の續行の主張があつた場合には、事件自體の係屬の存否に關する事柄であるから、訴の取下による訴訟の終了につき爭がある場合と同樣、裁判所は期日を指定し、口頭辯論を經て判決を以て訴訟が係屬中であるか否かを宣言すべきである（訴の取下による訴訟の終了につき爭がある事件についての、昭和八年七月一一日民五決取消差戻集一二卷二〇號二〇四〇頁及び兼子一判例民事法昭和八年度一三七事件評釋參照）。

係屬中の訴訟事件について開始された調停手續において、調停が成立したので訴を取下げた場合には、判例によれば、裁判上の和解が成立した場合と同視すべきで、この形式にすぎないところの訴の取下によつて、訴提起によつて生じた時効中断の効力は失われることはない（民法一四九條参照、金銭債務臨時調停法による調停について、昭和一八年六月二九日民一判破毀差戻集二二巻一四號五五七頁。この判示は、吾妻光俊法學協會雑誌六二巻三號一一七頁、舟橋諄一民商法雑誌一九巻三號二七七頁によつて支持されている）。

第十五章　調停の効力

一　序

調停調書の記載は、裁判上の和解と同一の効力を有する（法一六條）。裁判上の和解は、調書に記載したときは、その記載は確定判決と同一の効力を有する（民訴法二〇三條）。確定判決は訴訟終結の効果を齎し（形式的確定力）、既判力（實體的確定力）、執行力、形成力を有する。これらの効力を調停調書についてみるのが本章の目的である。

二　調書の無効又は取消

判決は、形式的に確定しない限り、實體的に既判力が生じない。が、形式的に確定すれば必ず既判力が生ずるわけのものでもない。例外的に、判決として訴訟法上の存在を有しながら、しかも既判力を生じない場合がある。いわゆる判決の無効の場合である。

判決は、無効でない限り、形式的に確定すると、既判力を生ずる。したがつて、既判力を争うためには、この形式的確定力を排除しなければならない。判決の形式的確定力が排除されうる場合は三つある。上訴の追完（民訴法一五九條）、再審の訴（民訴法四二〇條以下）、特別上告（民訴法四〇九條ノ二）である。

調停手續には、審級制度はない。したがつて、上訴の追完はありえない。又、特別上告もありえない。したがつて、殘るのは、再審である。すなわち、確定判決に對する再審事由（民訴法四二〇條）は、調停の効力を、後に至つて爭うことを可能ならしめる原因であるか。もし、そうだとすると、その爭う方式は、どんな方式かが問題となりうる。

確定判決に對する再審事由は、民事訴訟法四二〇條に、第一號から第十號に亙つて列擧してある。このうち、第九號を除いて他のすべては、調停に準用されうるであろう。一、二、四號については、調停においては、調停條項の成立に調停事件を管轄する裁判所が關與することがありうるからである。三、五、六、七、八號については、調停手續においても、それを瑕疵あるものたらしめる原因であるというべきである。九號が準用されないことには異論はないであろう。

この、點裁判上の和解の場合と結論を異にする。民事訴訟法四二〇條一項の再審事由は、一、二、四、九號が裁判上の和解に準用されえないことは、いうまでもない。三、五號が準用されることについても、異論はないようである（兼子一判例民事訴訟法一〇七事件、前掲戒能通孝《裁判上の和解の効力》六五頁）。六、七、八、十號については、說が分れている。六、七號については、和解に準用されないときは、和解が判決より不利な立場におかれるという解釋と、これらの規定は判斷者が第三者たる裁判官であるために必要とされるので、和解に準用されなくても、當事者を不利な位置に立たせないし、民法六九六條があるから、和解が判決より不利な立場におかれることもないという解釋がある（前掲戒能通孝參照）。八號については、和解に準用されないという解釋（山田正三改正民事訴訟法四卷八九三頁）、と準用されるという解釋（前掲戒能通孝）とある。十號については、民法上確定判決があつた事件については和解は成立しえないという解釋と、確定判決について爭が存するときは和解は成立しえ、しかも訴訟法的効力をもちうるという解釋とがある（前掲戒能通孝參照）。

調停の手續につき、前述のような、再審的事由が存在するときは、調停手續は當然無効ではなく、再審の訴に準ずる訴によつて、取消を求めるべきである（裁判上の和解について、私法上の法律行爲の無効事由でない再審事由が存在する場合については、同旨の判例がある。昭和七年一一月二五日民五判棄却集一一卷二〇號二二二五頁）。

次に、調停そのものの當然無効はあるかについて考える。判決の當然無効原因として、人は、内容の不定、不明、不能の場合、を擧げている（雉本朗造「裁判の無効」民事訴訟法論文集五四九頁以下は、強行法規違反、公序良俗違反の場合をも加えている）。これらの原因がある場合には、調停も無効であることには、異論はないであろう（強行法規違反、公序良俗違反の場合に、裁判が無効であるかについては見解が分れているが、無効であると解釋することに反對の人も、和解については、無効であると解釋している。戒能通孝「裁判上の和解の効力」法學新報四二卷一〇號六四頁、調停についても同じように考えるべきであろうか）。

この場合、例えば、全く假空の實在しない人を相手方とする調停調書、理論的にも實際的にも、實現が絶對に不能の内容の調停調書は當然無効であろう。しかし、そうでない無効原因の場合には、それは當然無効ではなく、調停の成立當時、事件の係屬した裁判所に、調停調書の取消の訴（その性質は再審の訴に準ずる）を提起してその無効を主張すべきであろう。調停調書の記載は國家の機關の行爲であり、それに確定判決と同一の効力が付與されているのは、社會生活の法的安定を計るためであるから、この効力が、その瑕疵を理由として、何人からも自由に否認されるようでは、確定判決と同一の効力を付與した目的を達することができない。したがつて、いやしくも調停が成立したものと認められる限り、これを手續上無視すべきではないからである（裁判上の和解に關しては、無効の場合の處置については、見解が分れている。すなわち、當然無効であるという解釋と、和解成立當時係屬した裁判所に再審に準ずる訴を提起してその無効を主張すべきものであるという解釋（兼子一、判例民事訴訟法一〇七事件）とがある）。

さて、以上に述べられた原因以外に、實際問題としては、意思表示の要素の錯誤を理由として、調停調書の効力が爭われることが考えられる。これは果して認められるであろうか。

思うに、私法上の法律行爲の無効、取消原因を原因として、調停調書の無効、取消を主張することはできないであろう。手續の過程中における手續を組成する個々の行爲について、私法上の法律行爲の無効取消原因が存する場合、それを原因としては、調停調書の取消を求めることはできない。これらの行爲について意思主義の原則を貫くと、手續の紛糾を來し、手續の確實性を失わせるからである。調停において成立した當事者間の合意について、私法上の無効・取消原因が存在する場合は、再審事由に該當する場合を除けば、錯誤ということになる。合意に錯誤が存するときは、調書に記載される以前ならば、合意の無効を主張することができるであろう。しかし、調書に記載されたときは、もはや、合意の無効を主張することはできないと考える。調書の記載は、合意を書面によつて公證したにすぎないのではなく、確定判決と同一の効力を付與するための資格を具えていることを、國家機關が確定した行爲であり、當事者の合意はむしろこの行爲がなされる緣由であるとみるべく、この行爲がなされることによつて、當事者の合意は、この行爲のうちに内在化されてしまつているとみるべきであるからである。しかも、合意が成立するまでの過程においては、職權で、事實の調査及び證據調をすることができることになつており（規則一二條一項）、したがつて、その結果確定した事實については、錯誤を主張せしめるべきではなく、又、法律についての錯誤も、裁判官（調停主任又は調停を行う裁判官）が關與し、あつ旋して成立した合意については、主張せしめるべきではないと考えられるのである。

三　既判力（實體的確定力）

確定判決が既判力を有する理由を考えるに、判決が形式的確定力を有するに至つても、その判決の内容たる具體的法律問題に對する判斷が將來提起される他の訴訟において尊重されることなく、當事者が、自由に、ほしいままに、これに反する主張をしたり、又、裁判所が、獨自の見解で、これと異る判斷をするならば、國家の裁判に確定の機會がなく、私人の法的生活は少しも安定されず、國家が裁判所を設けて、紛爭の解決、私人の權利保護を圖つた趣旨が沒却され、かつその權威も失墜するであろうから、すべての裁判所をして裁判の内容たる判斷を尊重させ、爾後同一の問題について、これと異る判斷をすることを許さないものとする必要があるからである。さて、調停は、民事に關する紛爭につき、それを解決することを目的とし（法一條）、その解決は、一定の具體的な法律關係を當事者間に確定することによつてなされる。したがつて、調停によつて確定された當事者間の具體的な法律關係の存在が、他の訴訟において尊重されないときは、調停による紛爭解決の目的を沒却すること明らかであつて、この意味において、調停調書に既判力を認めることの必要が存することは、確定判決の場合と異ならないというべきであろう。

以上の諸點が、裁判上の和解についてはどう考えられるかは、調停について考える場合に參考になることであるので、若干記述することにする。

判例理論によれば、混合説の立場に立ち、私法上の契約たる和解に無効又は取消の原因がある場合には、民法の規定によつてこれを無効とし、又は取消をなしうる（大正九年七月一五日民二判破毀差戻録二六輯一四巻九八三頁）。すなわち、和解が當事者の意思表示の瑕疵によつて取消しうべきものであるか、要素の錯誤によつて無効となるべきものであるかは、民法の規定によつてこれを決しなければならない（大正六年九月一八日民一判破毀差戻録一三四二頁、大正一一年七月八日民三判棄却集一巻三七六頁、昭和六年四月二三日民三決取消差戻集一〇巻七號三八八頁）。例えば、「若シ上告人カ本件ノ差押命令及ヒ轉付命付ノ無効ナルヲ有効ナリト誤信シ之ヲ爭ノ目的ト爲スコトナクシテ本件ノ和解ヲ爲シタルモノナルトキハ此和解ノ効力ノ有無ハ民法第九十五條ノ規定ニ則リテ之ヲ斷セサルヘカラス」（前掲大正六年九月一八日民一判）。又、例えば、「區裁判所ノ和解申立手續ニ於テ調ヒタル裁判上ノ和解ニ付當事者ノ法定代理人トシテ和解ヲ爲シタル者ニ其ノ代理權ナカリシ場合ニハ民事訴訟法第四百二十條第一項第三號所定ノ再審ノ事由ニ該當スヘシト雖モ此ノ場合ニハ同時ニ其ノ和解ハ私法上無權代理行爲ニ依リ爲サレタル契約ニシテ當事者本人ニ對シ其ノ効力ナク從テ之ヲ調書ニ記載スルモ訴訟法上ノ効力ヲ生セス」（前掲昭和七年一一月二五日民五判）。又、例えば、當事者間に立替金の求償債權があることを前提して締結された裁判上の和解は、この求償權が存在しないときは當然無効である（昭和一〇年九月三日民二判棄却集一四巻二一號一八八六頁、但し、要素の錯誤によりとは、表面ではいつていない）。

そして、裁判上の和解においては、訴訟行爲と實體法上の法律行爲と不可分に合體している（前掲昭和一〇年九月三日民二判）から、一方の失効は當然に他方の失効を惹起する（前掲昭和一〇年九月三日民二判、大正一一年七月八日民三判集一巻七號三七六頁、大正一三年八月二日民三決棄却集三巻一一號四五九頁、昭和六年四月二三日民三決取消差戻集一〇巻七號三八八頁、前掲昭和七年一一月二五日民五判、昭和一四年八月一二日民四判棄却集一八巻一四號九〇三頁）。たとい、調書に記載されても、訴訟法上の効力を生じない（前掲大正一三年八月二日民三決、前掲昭和七年一一月二五日民五判）。したがつて、その場合には、手續的な面においては、訴訟はその終了すべき原因を失つて、訴訟係屬は、はじめから消滅せず（前掲大正一一年七月八日民三判、大正一四年四月二四日民二判）、なお存續している（前掲大正一三年八月二日民三判、昭和六年四月二三日民三決、昭和一〇年九月三日民二判）から、前訴訟をなお續けて追行することができる（前掲大正一四年四月二四日民二判）。したがつて、續行期日の指定の申立に對しては「單ニ裁判上ノ和解アリタルモノトノ一事ニ因リ、期日ノ指定ヲ拒ムコトヲ得」ない（前掲昭和六年四月二三日民三決）。むしろ、「裁判所ハ其ノ主張ノ如キ要素ノ錯誤アリテ契約ガ無効ナリヤ否、換言スレバ訴訟ガ尙存續スルモノナリヤ否、口頭辯論ヲ開キ之ヲ調査シ判決ヲ以テ裁判スベキモノ」である（前掲昭和六年四月二三日民三決）。

次に私法上の原因によつて、裁判上の和解の無効を主張しようとするものは、別訴訟を提起して、和解によつて生じた法律關係の無効の確認を求めることができる（前掲大正一四年四月二四日民二判、昭和七年一一月二五日民五判）。

さらに、私法上の無効原因が存在するときは、和解調書に基く强制執行に對し、請求異議の訴を提起することができる（前掲昭和一〇年九月三日民二判、昭和一四年八月一二日民四判）。それから、無權代理人のなした、和解調書に對する請求異議の訴においては、民事訴訟法五四五條二項の制限は適用されない（昭和三年三月七日民三判破毁差戻集七巻二號九八頁、前掲昭和一四年八月一二日民四判）。

以上の判旨及びその前提理論は、訴訟行爲説によつて、正面から反對されている。すなわち、訴訟行爲説によれば、裁判上の和解は純然たる訴訟行爲である。したがつて、その要件及び效果は總て訴訟法規により判定さるべきである。そこで、私法上の無効原因が存在するときに裁判上の和解もまた無効であるか、については、裁判上の和解調書に確定判決と同様の訴訟終結の效果と確定力が與えられている以上、單にその内容の決定過程における私法上の意思表示の無効あるいは取消事由の存することに基いて、その效力を動揺させることはできない（兼子一判例民事訴訟法一〇七事件）から、訴訟行爲たる和解は、當然に無効となるべき理由はなく（兼子一判例民事法昭和七年度一六八事件評釋）、却つて調書成立後はその既判力により爾後の和解契約無効の主張は遮斷されることになる（兼子一判例民事法昭和一〇年度一二二事件評釋）。實際には、裁判上の和解の無効は多くは意思表示の要素の錯誤を理由として主張されるのであるが、訴訟上裁判機關の面前でその事實上の仲介乃至調停によつてなされ、當事者としてもとくに愼重であるべき場合に、錯誤を主張させる必要はない（兼子一判例民事訴訟法一〇七事件）。したがつて、私法上の無効原因が存在しても、すでにひとたび調書が成立した後はつねに訴訟は終結する、すなわち、訴訟の係屬は消滅する（前掲兼子一、一〇七事件）。したがつて、和解の無効→訴訟係屬中を主張して期日指定の申立がなされた場合に、當然に口頭辯論を開くべきや否やの問題を生ずる餘地はない（前掲兼子一、一〇七事件）。いわんや、和解の效力を判定するのに訴訟を續行し、口頭辯論期日を指定することは不要であり、このような期日指定の申立は決定を以て却下すべきである（兼子一判例民事訴訟法一〇九事件）。又、要素の錯誤による無効の主張に基く請求異議の訴は、和解調書の既判力と牴觸し、民事訴訟法五四五條二項により許されないから、認められない（前掲兼子一判例民事法昭和一〇年度一二二事件評釋）。

判例理論と訴訟行爲説の、相異點の重要な一つは、既判力を裁判上の和解に認めるか否かにある。判例理論は大正一五年の改正前は既判力を認めず、改正後は認めているようであるが（昭和五年四月二四日民一決、昭和九年一〇月四日民一決、昭和二六年四月一三日第二小判）、それでも私法上の無効取消原因があるときには和解の効力を認めないから、結論を、既判力を考慮せずに導き出しうる。これに對し、既判力は、その内容たる法律狀態の成立原因に遡つた爭を遮斷する點に、その作用があるのだから、後の訴訟において、裁判所が常に和解の有効要件を審査して後でなければ和解内容を認めえないとするならば、既判力を認めることが無意味になるし、又、私法上の取消原因がある場合に、その取消によつて和解が無効となる不確定な狀態を認めることも既判力の精神と矛盾すると訴訟行爲説は既判力を前提として論ずる（前掲兼子一判民昭和一四年度六一事件評釋、昭和七年度一六八事件評釋）。又、裁判上の和解の効力の發生原因を、判例は、當事者の契約の効果と考えるが（同旨、山田正三法學論叢二六卷六號九八〇頁）、訴訟行爲説は、既判力の基礎を當事者の權能に求めるのは困難で、法律が和解調書に附した法定効果であると考える（前掲兼子一昭和一〇年度一二二事件評釋）。

次に判例理論（判決が理由中で展開している前提的な理論）及び判旨（判決の主文及び理由における事件に對する判斷）は、同じ混合説から必ずしも支持されていない（裁判上の和解が既判力を有するかという點については岩松三郎、民事裁判における判斷の限界（二）法曹時報三卷一一號註二三がこれを否定している）。兩行爲競合説の加藤正治判例民事法大正一三年度九三事件評釋は、前掲大正一三年八月二日民三決が「裁判上ノ和解ナルモノハ夫ノ判決ニ於ケルガ如キ確定力ヲ有スルモノニモ非ズ」といつているのに反對している。その理由は、「民訴第五四五條が第五六〇條にて和解の調書に準用せられており、第五四五條第二項に依れば執行異議の理由が和解調書成立後のものに限られて居るからである。若し和解の調書に既判力無しとすれば公正證書に關し第五六二條第三項に規定せる如く請求に關する執行異議の主張は第五四五條第二項の制限に從わざる筈である。又他の理由は和解の調書に若し既判力無しとすれば確認訴訟の如きは執行が目的で無いから、和解成立するも仍ほ判決を得るまで訴訟續行の必要が生じて來るからである」しかし「例えば、和解契約の要素に錯誤ありたる場合の如きは和解契約は無効であり從て和解契約が記載せられて一旦は確定判決と同一の効力を生じたる場合と雖も其の前提たる和解契約が無効となれば確定判決の効力も消滅せねばならぬ」（加藤正治民事訴訟法要論昭和二一年三〇一頁、なお同旨山田正三法學論叢一六巻六號九七八頁）。むしろ、訴訟は終了しないはずである（前掲加藤正治九三事件評釋）。

つぎに、和解調書に基く強制執行に對して、請求異議の訴が提起された場合に、民事訴訟法五四五條二項の制限を受けるかについて見よう。

この點については、兩行爲競合説の加藤正治判例民事法昭和三年度一〇事件評釋によつて、判旨（前掲昭和三年三月七日民三判）は反對されている。その理由は、裁判上の和解は既判力を有するということと、公正證書に關する民事訴訟法五六二條三項の明文が、裁判上の和解については存在しないことである（前掲判示は、右の明文の趣旨は和解についても適用があるといつている）。

次に、和解無効の主張による期日指定の申立があつた場合の手續的處置についてみよう。この點についての判旨は、混合説からも反對されている。すなわち、當事者間に和解の効力に關して爭が存在し、訴訟が未だ終了していない場合には、それは中間の爭であるから、和解が有効ならば終局判決で訴訟がすでに終了したことを宣言すべきであり、和解が無効ならば、その旨の中間判決がなされるべきである。しかし、當事者間に和解の効力に關して爭が存在せず、裁判所もまた有効な和解として訴訟を終了したものとして取扱つた後においては、和解の効力については、裁判所は、當事者の主張に拘束されず、獨自に、確定判決と同一の効力を有するか否かを判斷することができる。したがつて、當事者が和解の無効を主張したからとて、訴訟はまだ終了していないという理由で、直ちに口頭辯論期日を指定すべきではない。指定するのは、裁判所が獨自に、和解の無効主張が理由あるものであると認めた場合に限り、そう認めないときは、期日指定の申立を却下すべきである、と(山田正三法學論叢二六卷六號九八一頁)。

次に、私法上無効原因が存在する和解調書に基く强制執行に對して、請求異議の訴が提起されうるかという點について見よう。この點も、混合說あるいは、私法行爲說から反對されている。すなわち、この場合は請求異議の訴ではなく、無効の和解を記載した調書に執行文が付與されたことを攻擊する執行文付與の異議又はその訴が許されるにすぎない、と(河本喜與之、民商法雜誌三卷五號四一八頁、さらに、兼子一判例民事法昭和一四年度六一事件によれば、かりに百步を讓り、判旨のように、和解調書の無効を認める前提に立つならば、その執行力もまた存在するはずはなく、これに基く執行は債務者名義なきに歸するから、これが排除はすべからく執行文付與の異議によるべきである)。

四　執行力

裁判上の和解調書は執行力を有する(民訴法五六〇條參照)。裁判上の和解と同一の効力を有する調停が、執行力を有することについては異論はないであろう。

執行力とは、その內容を强制執行により實現することのできる効力である。强制執行は、債權者のため、債務者に對して、國家の强制力によつて給付請求權の實現を圖る制度である。給付請求權とは、例えば、金銭の支拂、土地、建物、船舶その他の物の引渡、その他ある行爲をしないという債務者の行爲を内容とする權利をいう。この給付請求權の存在及び範圍を表示しかつ執行力を付與された公正の證書を債務名義という。債務名義には確定判決、和解調書、認諾調書、調停調書、執行約款附の金錢債務の公正證書などがある。

調停調書、調停に代る決定、調停委員會の裁定調書に基いて、債權者が、强制執行を行う機關に對して、强制執行の開始を求めるには、まず執行文の付與を受けなければならない（民訴法五六〇條、五一六條）。執行文とは裁判所書記官が、債務名義の有効な存在を公證する文書である。執行文は「前記の正本は申立人（又は相手方）何某に對し、强制執行のため相手方（又は申立人）何某にこれを付與する」（民訴法五一七條二項參照）という文式で、調書の正本の末尾に附記（民訴法五一七條一項、實際は別の書面に記載され、正本の末尾に添付される）される。執行文の附記された正本を執行力ある債務名義の正本、略して執行正本という。

執行文は、調停裁判所への申立により（民訴法五一六條二項・三項）、その裁判所の書記官が付與する。

債權者が强制執行をなすには、まず執行文の付與を受けなければならない（民訴法五六〇條、五一六條）。しかし、例えば、土地賃貸借の調停において、ある時期以後の賃料は、當事者の協定によるべき旨の一條項があつた場合、その協定以前に執行文が付與されうるか。判例及び學説によれば、付與されえない。付與された場合には執行文の付與に對する異議の申立をすることができる（昭和八年六月二〇日民五決取消集一二卷一五號一五五五頁、菊井維大判例民事法昭和八年度一〇九事件評釋）。ただ、その理由については、學説は必ずしも判例と一致しない。判例は、調停條項たる賃料の協定を民事訴訟法五一八條二項の條件と解釋していて、その條件の成立した事實の證明がないことを理由とする（前掲昭和八年六月二〇日民五決）。が、學説の中には、協定を必要とする部分の賃料については、債務名義たる効力がないことを理由とするものがある（前掲菊井維大判例民事法）。後者の理由が妥當であろう。民事訴訟法五一八條二項にいわゆる、執行が條件に係る場合というのは、例えば、家屋の明渡をしたときは移轉料の交付をうけることが合意されている場合（この場合には移轉料の請求について强制執行のため執行文をうけるには、約束された期限に家屋を明渡した事實を證明しなければならない）のように、條件となつている事項の内容と範圍とが具體的に確定されている場合をいうのであつて、協定をまつてはじめて具體化される賃料債權については、協定前においては、債務名義たる効力はないというべきである。

執行文の付與に對しては、債務者は異議を申立てることができる。この場合執行文を付與した裁判所書記官が屬する裁判所が、裁判をする（民訴法五二二條）。又、執行文付與の際に、證明したと認められた條件の履行（民訴法五一八條二項）や承繼の事實（民訴法五一九條）を爭つて、執行文の付與の取消を求めることができる（民訴法五四六條）。これを執行文付與に對する異議の訴という。

しかし、すでにその債務名義によつて完全に滿足を得た場合には、たとえ、債務者が、その後執行債權者が眞の承繼人でないことを確知したときでも、民法四七八條により債權の準占有者に爲した辨濟があつたものとして、もはや强制執行の効力を爭うことができない（昭和八年一〇月六日東京控判棄却新聞三六六一號一五頁）。

この執行文付與に對する異議の訴が提起された場合には、異議原因の有無は、判決の基本である口頭辯論終結當時の狀態において、定められる。例えば、延滯家賃が二ケ月分以上に達することが執行の條件であるのに、二ケ月分以上に達しない時に執行文が付與せられた場合には、その執行文の付與は本來は瑕疵ある違法なものである。けれども、もし、執行力ある正本に基いて現實に建物明渡の執行をなすまでの間に、家賃の滯納が二ケ月分以上に達したときは、執行文の付與について存在した瑕疵は治癒され、これに基いてなされた明渡の執行は適法となる（昭和一六年七月二二日判決新聞四七二一號一一頁）。

調停調書の執行力の及ぶ範圍について考える。調停調書の執行力は、調停調書の效力の及ぶ範圍のもの、すなわち、當事者、調停調書成立後の承繼人又はそのもののため請求の目的物を所持するものに對して及ぶ（法一六條、民訴法二〇三條、二〇一條、四九七條ノ二第一項、和解調書の執行力の及ぶ範圍と同樣である）。例えば、調停で相手方乙が申立人甲に對して家屋の明渡しを約したときは、調停成立後に、乙が丙に家屋の占有を移しても、丙は調停のとりきめは甲と乙のことで自分は知らないといつて明渡を拒むことはできない。この場合に、執行力ある正本の付與については民事訴訟法五一九條の規定が準用される（民訴法四九七條ノ二第二項）。したがつて、民事訴訟法五一九條一項にいわゆる「債務者ノ一般ノ承繼人」の中には、民事訴訟法二〇一條により判決の效力の及ぶ特定承繼人も含まれる（最高昭和二六年四月一三日二小判棄却集五卷五號二四二頁）。例えば、建物收去土地明渡の調停調書上の義務が發生した後に、その建物を讓受けたもの、あるいは借り受けたものは、調停調書の效力を受けると解釋される（裁判上の和解については、判例があり（昭和五年四月二四日民一決取消差戻集九卷六號四一五頁、前揭昭和二六年四月一三日二小判）、しかも、學說の支持を受けている（昭和五年四月二四日民一決について、兼子一判例民事法昭和五年度四一事件評釋山田正三法學論叢二四卷四號一五四頁））。

次に、調停調書上の建物明渡義務の發生が條件付で、その條件が、建物を讓受けた後に成就した場合には、調停調書の效力は、この建物讓受人に及ぶか、についても、肯定すべきであると解釋される（裁判上の和解については判例があり、（昭和九年一〇月四日民一決棄却集一三卷二一號一八六四頁）。その判旨は、建物讓受人は、賃貸借關係の承繼人であるという理由で、川島武宜判例民事法昭和九年度一三二事件評釋によって支持されている）。

しかし、調停調書の成立以前から、借地人の所有建物を賃借しているものには、調停調書の効力は及ばないであろう（裁判上の和解については判例（昭和七年四月一九日民五決棄却集一一卷七號六八一頁）があり、判例の理由によれば、それは、このような場合の建物賃借人は自己の權利に基いて自己のために建物を所持するものであつて、このようなものは、民事訴訟法二〇一條にいわゆる「其ノ者ノ爲請求ノ目的ヲ所持スル者」の中には含まれないからである（前掲昭和七年民五決）。この判旨は、學說の支持を得ている（兼子一判例民事法昭和七年度五五事件評釋、山田正三法學論叢二八卷四號六七九頁））。

なお、土地明渡についての調停成立後に對抗要件を具えた建物讓受人は、調停調書に基く强制執行を甘受しなければならないだろうか。確定判決に基く强制執行についての判例によれば、口頭辯論終結後に、債權及び抵當權讓受の附記登記をなしたものは、民事訴訟法二〇一條にいわゆる承繼人に該當する（昭和一七年五月二六日民二判棄却集二一卷一一號五九二頁）から、調停調書に基く强制執行の場合にも同樣であろう。

調停調書に記載された給付の內容が債務者に對して登記手續を命じている場合には、その登記については、調書に基いて、債權者が單獨で登記手續の申請をすることができる。例えば、調停で、何年何月何日限り所有權移轉の登記手續をするという合意が成立すれば、登記の權利證や登記の義務者の協力がなくても、調停調書の正本さえあれば、單獨で登記手續の申請をなしうる（裁判上の和解については判例があり、判例によれば、「和解調書ノ記載ガ債務者ニ對シ登記手續ヲ命ジタル場合ニ於テハ、債權者ハ之ニ基キ申請書ニ和解調書ノ正本ヲ添附シ單獨ニテ調書記載ノ如キ登記手續ノ申請ヲ爲シ得ベク、此場合債務者ニ登記手續ヲ命ジタル和解調書ノ强制執行トシテ之ヲ爲スコトヲ要」しない（昭和九年一一月二六日民一決棄却集一三卷二三號二一七一頁）。なんとなれば、「不動産登記法二七條ハ判決又ハ相續ニ因ル登記ハ登記義務者ノ協力ヲ俟タズ登記權利者ノミニテ之ヲ申請シ得ベキ旨規定シ、和解調書ノ記載ハ確定判決ト同一ノ效力ヲ有スル」からである（前掲民一決）。この判旨は、學說の支持を受けている（山田晟判例民事法昭和九年度一五五事件評釋）。

債務者は、調停調書に表示された請求權に對して生じた異議を主張し、その執行力の排除を求める訴を提起することができる。これを請求異議の訴という（民訴法五六〇條五四五條參照）。

そこで調停調書に基く强制執行に對する、請求異議の訴の管轄裁判所はどこかが問題となるのであるが、判例によれば、小作調停事件が福島地方裁判所に申立てられ、同裁判所の調停委員會において調停が成立したときは、この調停に對する債務者の異議については、福島區裁判所でなく、福島地方裁判所が第一審として專屬管轄を有する。なんとなれば、民事訴訟法五六〇條によれば、裁判上の和解による强制執行については、同法五四五條の準用があるから、裁判上の和解に對する債務者の異議の訴は第一審の受訴裁判所の管轄に屬し、その管轄は專屬管轄であること疑なく（民訴法五六三條）、小作調停法二七條によれば、小作調停は裁判上の和解と同一の效力を有するからである（以上昭和一四年一一月二一日民二判破毀自判集一八巻二〇號一三〇一頁）。この判旨は、小作調停は訴訟内においてなされるのではなく、獨立の手續であるから、成立した調停から考えて第一審受訴裁判所なるものは存在しないけれども、調停手續を行つた裁判所があり、これが、一般には、訴訟が係屬すれば第一審として審判しうる裁判所であるから、第一審の受訴裁判所に相當するものと見ても、民事訴訟法五四五條の趣旨に反しまい。という理由で菊井維大判例民事法昭和一四年度八三事件評釋によつて支持されている（起訴前の和解についても、事件について訴訟が係屬すれば、第一審の受訴裁判所は地方裁判所であつたような事件において、請求異議の訴は、民訴法五六〇條五四五條により和解事件の係屬した區裁判所が管轄すると判示した例がある―昭和六年一二月一八日決定取消判例彙報四三卷六號一八四頁)。

請求異議の訴を提起したものは、その判決がなされるまで、執行行爲の停止又は執行處分の取消を求めることができる(民訴法五六〇條、五四七條)。そして、その裁判に對する不服は卽時抗告の方法によつて申立てることができる(民訴法五六〇條、五五八條)。

五　調停の内容をなす契約關係は、不履行を理由として解除されうるかについては、判例によれば民法の規定により解釋されうる(昭和一三年一二月七日民四判棄却集一七卷二三號二二八五頁)が、そのとおりであろう。事後の原因によつて、その内容たる法律關係の變更を招來することは既判力に牴觸しないからである(野田良之判例民事法昭和一三年度一四〇事件評釋)(この點は、すでに、裁判上の和解に關しては先例があり、舊民事訴訟法時代の大正九年七月一五日民二判破毀差戻錄二六輯一四卷九八三頁は、理論として、和解上の義務の「不履行ノ場合之ヲ解除シ得ルヤ否ヤモ亦民法ノ契約解除ニ關スル規定ニ從ヒ之ヲ決定シ得ル」としている。しかし、調停については、債務者の不履行を理由としてこれを解除することができないという反對論もなくはない。例えば、小川保男・調停の研究、昭和一九年四七頁、小野木常・調停法概說、昭和一八年二五頁)。

第十六章　調停の費用

一　費用の負擔については、調停が成立した場合において、調停條項中に費用の負擔に關する定をしないときは、各當事者は、その支出した費用をみずから負擔するものとする(規則二二條)。訴訟事件係屬中に調停が成立した場合、訴訟費用の負擔については如何。

裁判上の和解においては、費用の負擔について、當事者間に別段の定がないときは、當事者は各自の支出した和解費用と訴訟費用とを負擔し、相手方に辨償を求めることはできない（民訴法九七條）。調停においても同樣であろう。したがつて、調停條項における「本件についての費用は各自辨とする」という記載は、一般に、調停費用だけでなく、訴訟費用をも含むということができる（昭和一八年三月一九日函館地判新聞四八三六號・六頁）。

二 調停における費用とは、調停の申立の手數料（法一〇條）などの印紙代、事件の關係人の呼出、裁判の告知、事實調査、證據調などの費用（規則一五條參照）をいう。證據調の費用のうち、檢證、證人尋問、鑑定を行うために要する、裁判官、調停委員、裁判所書記官などの旅費、日當は國が負擔し、證人、鑑定人、通事などの費用（規則一四條）は當事者の負擔である。

三 「事實の調査、證據調、呼出、告知その他必要な處分の費用は、國庫において立て替える。但し、調停委員會は、當事者にその費用を豫納させることができる」（規則一五條）。裁判官だけで調停を行う場合も同樣である（規則二〇條）。

舊法においても費用の豫納の規定はあつた（借調法九條、小調法二二條、三四條、金調法四條、商調法二條、鑛業法舊一四一條、戰民特法一八條）。家事審判規則にも同旨の規定がある（家審規則一一條）。

第十七章 記錄の閲覽、謄寫、證明書の交付

調停の申立書、調書その他事件の關係書類は、一件毎に一冊の簿冊に編成され、これを調停事件記錄といい、裁判所は一定期間これを保存することになつており、その間、「當事者又は利害關係人は、裁判所書記官に對し、記錄の閲覽若しくは謄寫又はその正本、謄本、抄本若しくは事件に關する證明書の交付を求めることができる」(規則二三條一項本文)。「但し、閲覽又は謄寫については、記錄の保存又は裁判所の執務に差しつかえがあるときは、この限りでない」(規則二三條一項但書)。「記錄の閲覽若しくは謄寫又は書類の交付を求めるには、別に定める手數料を納めなければならない」(規則二三條二項本文)。手數料の額は、民事調停法による申立手數料等規則において定められている(同規則二條、三條)。但し、當事者が事件の係屬中記錄の閲覽又は謄寫を求める場合は、この限りでない(規則二三條二項但書)。

舊法にも明文の規定があつた(借調法三〇條、小調法四四條、商調法二條、金調法四條、戰民特法一八條、鑛業法舊一六一條)。家事審判法においても、本法と同旨の規定がある(家審規則一二條)。

第十八章　罰　則

罰としては、過料と刑罰とがあり、過料は呼出に對する不出頭と、法一二條の調停前の措置に從わないこととに對して課せられ、刑罰は、評議の祕密を洩らす罪と人の祕密を洩らす罪とに對して課せられる。

一　不出頭に對する制裁(法三四條)

「裁判所又は調停委員會の呼出を受けた事件の關係人が正當な事由がなく出頭しないときは、裁判所は、三千圓以下の過料に處する」。家事審判法二七條と殆んど同樣の規定である。家事審判法では五百圓となつていたが、本法によつて、三千圓と改正された（附則一條一）。

調停は、調停委員會と當事者とが期日に會合し、說得の機會を得て始めてその機能を發揮しうるのであるが、不誠意な當事者は、呼出に應じないことによつて、調停制度を全く無視しうることになる。しかしこの結果はのぞましくない。

舊法においては、過料は五十圓以下であつた（借調法三二條一項小調法四八條一項）が、物價の變動に伴い制裁規定として殆んど有名無實に歸していたので、その額は三千圓以下に引上げられた（鑛業法舊一九五條は三千圓以下となつていた）。

又、舊法においては、制裁を受けるのは、當事者であつた（借調法三二條一項小調法四八條一項）。が、本法では、家事審判法にならつて、當事者以外の事件の關係人に對しても制裁が課せられることになつた。事實調査のため、當事者以外の者の出頭を必要とする場合があるからである。

「正當な事由」は、客觀的に相當と認められるものでなければならない。出頭不能の當事者は、その不能の事由を具體的に開示する必要があろう。「正當な事由」の有無を認定するのは、調停事件が係屬している裁判所である。制裁を課するのも、調停委員會ではなく、調停事件の繫屬する地方裁判所又は簡易裁判所である（多少、參考になると思うが、舊刑事訴訟法時代の判例には「多忙ノ爲出頭シ難キ旨ノ單純ナル屆出ヲ爲シ出頭セザル」ことは「正當な事由」がなく出頭しないものであるとしたものがある。舊刑訴法一九〇條につき昭和六年一一月七日決定民集一〇卷五四四頁）。

又、舊法においては、調停委員會の呼出についてのみ制裁が問題となつた（借調法三二條一項）。が本法では、裁判所の呼出についても同様とされている。裁判所の呼出について制裁を不要とする特別の理由が認められないからである。

「過料に處」せられるのは、呼出に應じない不出頭に對してである。第二回、第三回の呼出に應じない場合には、その不出頭に對し、毎回過料に處せられうる。

この過料の裁判の手續は、非訟事件手續法による（法二二條）（借調法三二條二項參照 小調法四八條二項參照）。すなわち、調停裁判所は、必ず當事者のために陳述の機會を與えた上で（小作調停事件に關する昭和四年六月一九日大決民集八卷九號六〇五頁廢棄委任參照。この決定は、非訟事件手續法第二〇七條第二項に「…可シトアルハ之ヲ要スノ義ニ解シテ始メテ意味ヲ成スモノトス但當事者ノ陳述ヲ聽キトアルハソレヲシテ陳述ヲ爲スノ機會ヲ得シムルノ意ニ外ナラス當事者ニ於テ此ノ機會ヲ利用スルト否トハ固ヨリ關スルトコロ無シ夫レ爾リ然ラハ則チ原裁判所トシテハ第一審裁判所カ過料ノ決定ヲ爲スニ當リ此ノ强行規定ニ屬スル手續ヲ遵守シタリヤ否ハ職權ヲ以テ之ヲ調査ス可キニ拘ラス何等此ノ點ニ付意ヲ致ストコロナク本件抗告ヲ棄却シタルハ違法」と判示している。この判示は、末弘嚴太郎判例民事法五五事件評釋によつて正當とされている）、理由を附した決定をもつて過料の裁判をする（非訟法二〇七條一項二項）。

この決定に不服の當事者は、卽時抗告をなすことができる（規則二六條）。この抗告は執行停止の効力を有する（規則二七條、本法三六條三項）。但し、「非訟事件手續法第二百七條及び第二百八條ノ二中檢察官に關する規定は、第一項の過料の裁判には適用しない」（法三六條三項）。したがつて、檢察官は過料の裁判に對して卽時抗告をなしえない。

不出頭に對する制裁（措置違反に對する制裁についても同樣である）は、裁判所が、事件處理の職責を遂行するに當つて、自ら手續の圓滑な進行を圖るための手段として認められるものであつて、その性質上檢察官の關與を認めることは適當でないからである。

この規定は家事調停についても採用された（附則一條一）。

さらに、執行については、「……過料の裁判は、裁判官の命令で執行する。この命令は、執行力のある債務名義と同一の効力を有する」（法三六條一項）（この規定は家事調停についても採用された（附則一條一））。執行の手續については、「過料の裁判の執行は、民事訴訟に關する法令の規定に從つてする。但し、執行前に裁判の送達をすることを要しない」（法三六條二項）（この規定は、家事調停についても採用された（附則一條一））。

二　措置違反に對する制裁（法三五條）

「當事者又は參加人が正當な事由がなく第十二條（第十五條において準用する場合を含む）の規定による措置に從わないときは、裁判所は五千圓以下の過料に處する」。

舊法においては、農地調整法第十一條の規定による措置について、違反に對する過料の制裁が認められている以外には、一般に何らの强制力をも伴わず、この措置を無視するものに對しては全く實効性を缺いていた。このことは、いたずらに不誠意な當事者を利する結果となり、このような措置を認めた意義を不徹底に終らせるばかりでなく、裁判所の威信という點にも好ましくない影響を及ぼすので、一般の調停についても同樣の制裁を認めることとし、この措置を間接的に强制しうる手段を講じたのである。この趣旨は、家事調停にも採用され、本法によつて、同種の規定が設けられた（附則一條一）。

この制裁の裁判の手續、裁判の執行、執行の手續については、**一**参照（農調法一一條二—一四項参照）。

三　評議の秘密を漏らす罪（法三七條）

「調停委員又は調停委員であつた者が正當な事由がなく評議の經過又は調停主任若しくは調停委員の意見若しくはその多少の數を漏らしたときは、五千圓以下の罰金に處する」。家事審判法二八條一項と殆んど同樣の規定である。家事審判法二八條一項では千圓となつていたが、五千圓に改正された（附則一一條）。

舊法においては、小作調停法（四九條）と金錢債務臨時調停法（一二條）にのみ同趣旨の規定がある。が、評議の秘密を保つことによつて、調停主任及び調停委員が外部に對する顧慮なしに安んじてその所信を述べることを擔保することの必要は、右の調停のみに限らない。そこで、この趣旨が一般規定化された。そして、物價の變動に應じて罰金の額は引上げられた。

四　人の秘密を漏らす罪（法三八條）

「調停委員又は調停委員であつた者が正當な事由がなくその職務上取り扱つたことについて知り得た人の秘密を漏らしたときは、六箇月以下の懲役又は一萬圓以下の罰金に處する」。

舊法には、この種の規定は存在しない。家事審判法にはある（家審法二九條本法附則一一條）。が、調停手續を密行とし、當事者その他の關係人が安んじて實情を述べることを擔保することは必要であつて、刑法上の辯護士、醫師等の秘密漏泄罪や、國家公務員法の定める公務員の秘密漏泄罪等との權衡上からも、調停委員についてこのような刑事責任が認められることが適當とされたのである。

第十九章　經過規定

一　舊法律の廢止

本法の制定に伴い、借地借家調停法、小作調停法、商事調停法、金錢債務臨時調停法が廢止され（附則二條）、戰時民事特別法廢止法律の一部改正によつて、戰時民事特別法による調停が廢止され（附則四條）、農地調整法、鑛業法及び農村負債整理組合法中の調停に關する規定が削除された（附則三條、五條、七條）。

二　字句の改正

從來の法律中、調停法によるべき場合に、それぞれの調停法の名稱が用いられていたのが、「民事調停法」の名稱に統一して改められた（附則三條、六條、七條、八條、九條）。

三　從前の調停事件

本法施行前に係屬した調停事件については、すべて本法附則による廢止又は改正前の調停法が適用される（附則一三條）。

この中には、從前の各種調停法中の訴訟手續の中止に關する規定（例えば、借地借家調停法第五條、小作調停法第九條、金錢債務臨時調停法第六條第一項）も含まれ、したがつて、民事調停法施行後も、例えば從前の調停事件に關してなされた訴訟手續中止の效力は、從前の規定に從い、その調停事件が終了するまでなお存續する（東京地裁所長照會に對する昭和二六年九月二九日最高裁判所事務總局民事局長回答）。

四　調停委員となるべき者の選任等

本法施行の際、改めて本法による調停委員候補者を選任したり、調停主任を指定したりするのは煩わしい。又、舊法が適用される調停事件について、舊法の規定に從つて調停委員候補者を選任したり、調停主任を指定したりするのも煩わしい。そこで、この二つの煩を避けるための規定が設けられている（附則四條二）。

五　罰則の經過

本法施行前の行爲については、すべて從前の例によるとされているほか、本法施行後の行爲について從前の罰則を適用する場合については、本法の罰則規定との權衡をはかる趣旨から、從前の規定中罰金及び過料の額が本法と同程度に引上げられ、なお、過料の裁判及びその執行については特に本法の規定が適用されることにされた（附則五條二）。

附録

一　民事調停法關係法令及び參考法令
二　民事調停法關係參考文獻
三　調停に關する判例
　　附　裁判上の和解に關する判例

一　民事調停法關係法令及び參考法令

1　民事調停法
2　民事調停規則
3　民事調停法による申立手數料等規則
4　調停委員規則
5　非訟事件手續法第一編
6　民事訴訟用印紙法
7　家事審判法
8　家事審判規則

民事調停法（昭和二六・六・九　法　二二二）

施行　昭和二六・一〇・一（附則）

第一章　通則

（この法律の目的）

第一條　この法律は、民事に関する紛争につき、当事者の互譲により、條理にかない実情に即した解決を図ることを目的とする。

（調停事件）

第二條　民事に関して紛争を生じたときは、当事者は、裁判所に調停の申立をすることができる。

（管轄）

第三條　調停事件は、特別の定がある場合を除いて、相手方の住所、居所、営業所若しくは事務所の所在地を管轄する簡易裁判所又は当事者が合意で定める地方裁判所若しくは簡易裁判所の管轄とする。

（移送等）

第四條①　裁判所は、その管轄に属しない事件について申立を受けた場合には、これを管轄権のある地方裁判所、家庭裁判所又は簡易裁判所に移送しなければならない。但し、事件を処理するために特に必要があると認めるときは、土地管轄の規定にかかわらず、事件の全部又は一部を他の管轄裁判所に移送し、又はみずから処理することができる。

②　裁判所は、その管轄に属する事件について申立を受けた場合においても、事件を処理するために適当であると認めるときは、土地管轄の規定にかかわらず、事件の全部又は一部を他の管轄裁判所に移送することができる。

（調停機関）

第五條①　裁判所は、調停委員会で調停を行う。但し、相当であると認めるときは、裁判官だけでこれを行うことができる。

②　裁判所は、当事者の申立があるときは、前項但書の規定にかかわらず、調停委員会で調停を行わなければならない。

（調停委員会の組織）

第六條　調停委員会は、調停主任一人及び調停委員二人以上で組織する。

（調停主任・調停委員）

第七條①　調停主任は、裁判官の中から、地方裁判所が指定する。

② 調停委員は、左に掲げる者の中から、調停主任が各事件について指定する。

一　地方裁判所が毎年前もつて選任する者

二　当事者が合意で定める者

③ 調停主任は、事件を処理するために必要があると認めるときは、前項に掲げる者以外の者を調停委員に指定することができる。

（調停の補助）

第八條　調停委員会は、当事者の意見を聞き、適当であると認める者に調停の補助をさせることができる。

（旅費・日当・宿泊料）

第九條　調停委員及び前條の規定により調停の補助をした者には、最高裁判所の定める旅費、日当及び宿泊料を支給する。

（手数料）

第一〇條①　調停の申立をするには、手数料を納めなければならない。

② 前項の手数料の額は、調停を求める事項の価額千円につき十円をこえない範囲内で、最高裁判所が定める。

③ 調停を求める事項の価額を算定することができないときは、その価額は、三万一千円とみなす。

（利害関係人の参加）

第一一條①　調停の結果について利害関係を有する者は、調停委員会の許可を受けて、調停手続に参加することができる。

② 調停委員会は、相当であると認めるときは、調停の結果について利害関係を有する者を調停手続に参加させることができる。

（調停前の措置）

第一二條①　調停委員会は、調停のために特に必要があると認めるときは、当事者の申立により、調停前の措置として、相手方その他の事件の関係人に対して、現状の変更又は物の処分の禁止その他調停の内容たる事項の実現を不能にし又は著しく困難ならしめる行爲の排除を命ずることができる。

② 前項の措置は、執行力を有しない。

（調停をしない場合）

第一三條　調停委員会は、事件が性質上調停をするのに適当でないと認めるとき、又は当事者が不当な目的でみだりに調停の申立をしたと認めるときは、調停をしないものとして、事件を終了させることができる。

（調停の不成立）

第一四条　調停委員会は、当事者間に合意が成立する見込がない場合又は成立した合意が相当でないと認める場合において、裁判所が第十七条の決定をしないときは、調停が成立しないものとして、事件を終了させることができる。

（裁判官の調停への準用）

第一五条　第八条、第九条及び第十一条から前条までの規定は、裁判官だけで調停を行う場合に準用する。

（調停の成立・効力）

第一六条　調停において当事者間に合意が成立し、これを調書に記載したときは、調停が成立したものとし、その記載は、裁判上の和解と同一の効力を有する。

（調停に代る決定）

第一七条　裁判所は、調停委員会の調停が成立する見込がない場合において相当であると認めるときは、調停委員の意見を聞き、当事者双方のために衡平に考慮し、一切の事情を見て、職権で、当事者双方の申立の趣旨に反しない限度で、事件の解決のために必要な決定をすることができる。この決定においては、金銭の支払、物の引渡その他の財産上の給付を命ずることができる。

（異議の申立）

第一八条①　前条の決定に対しては、当事者又は利害関係人は、異議の申立をすることができる。その期間は、当事者が決定の告知を受けた日から二週間とする。

②　前項の期間内に異議の申立があつたときは、同項の決定は、その効力を失う。

③　第一項の期間内に異議の申立がないときは、同項の決定は、裁判上の和解と同一の効力を有する。

（調停不成立等の場合の訴の提起）

第一九条　第十四条（第十五条において準用する場合を含む。）の規定により事件が終了し、又は前条第二項の規定により決定が効力を失つた場合において、申立人がその旨の通知を受けた日から二週間以内に調停の目的となつた請求について訴を提起したときは、調停の申立の時に、その訴の提起があつたものとみなす。

（受訴裁判所の調停）

第二〇條①　受訴裁判所は、適当であると認めるときは、職権で、事件を調停に付した上、管轄裁判所に処理させ又はみずから処理することができる。但し、事件について争点及び証拠の整理が完了した後において、当事者の合意がない場合には、この限りでない。

②　前項の規定により事件を調停に付した場合において、調停が成立し又は第十七條の決定が確定したときは、訴の取下があつたものとみなす。

③　第一項の規定により受訴裁判所がみずから調停により事件を処理する場合には、調停主任は、第七條第一項の規定にかかわらず、受訴裁判所がその裁判官の中から指定する。

（即時抗告）

第二一條　調停手続における裁判に対しては、最高裁判所の定めるところにより、即時抗告をすることができる。その期間は、二週間とする。

（非訟事件手続法の準用）

第二二條　特別の定がある場合を除いて、調停に関しては、その性質に反しない限り、非訟事件手続法（明治三十一年法律第十四号）第一編の規定を準用する。但し、同法第十五條の規定は、この限りでない。

（この法律に定のない事項）

第二三條　この法律に定めるものの外、調停に関して必要な事項は、最高裁判所が定める。

第二章　特　則

第一節　宅地建物調停

（宅地建物調停事件・管轄）

第二四條　宅地又は建物の貸借その他の利用関係の紛争に関する調停事件は、紛争の目的である宅地若しくは建物の所在地を管轄する簡易裁判所又は当事者が合意で定めるその所在地を管轄する地方裁判所の管轄とする。

第二節　農　事　調　停

（農事調停事件）

第二五條　農地又は農業経営に附随する土地、建物その他の農業用資産（以下「農地等」という。）の貸借その他の利用関係の紛争に関する調停事件については、前章に定めるものの外、この節の定めるところによる。

（管轄）

第二六條　前條の調停事件は、紛争の目的である農地等の所在地を管轄する地方裁判所又は当事者が合意で定めるその所在地を管轄する簡易裁判所の管轄とする。

（小作官等の意見陳述）

第二七條　小作官又は小作主事は、期日に出席し又は期日外において、調停委員会に対して意見を述べることができる。

（小作官等の意見聴取）

第二八條　調停委員会は、調停をしようとするときは、小作官又は小作主事の意見を聞かなければならない。

（裁判官の調停への準用）

第二九條　前二條の規定は、裁判官だけで調停を行う場合に準用する。

（移送等への準用）

第三〇條　第二十八條の規定は、裁判所が、第四條第一項但書若しくは第二項の規定により事件を移送し若しくはみずから処理しようとし、又は第十七條の決定をしようとする場合に準用する。

第三節　商事調停

（商事調停事件・調停委員会の定める調停條項）

第三一條①　商事の紛争に関する調停事件については、調停委員会は、当事者間に合意が成立する見込がない場合又は成立した合意が相当でないと認める場合において、当事者間に調停委員会の定める調停條項に服する旨の書面による合意があるときは、申立により、事件の解決のために適当な調停條項を定めることができる。

②　前項の調停條項を調書に記載したときは、調停が成立したものとみなし、その記載は、裁判上の和解と同一の効力を有する。

第四節　鉱害調停

（鉱害調停事件・管轄）

第三二條　鉱業法（昭和二十五年法律第二百八十九号）に定める鉱害の賠償の紛争に関する調停事件は、損害の発生地を管轄する地方裁判所の管轄とする。

（農事調停等に関する規定の準用）
第三三條　第二十七條から第三十一條までの規定は、前條の調停事件に準用する。この場合において、第二十七條及び第二十八條中「小作官又は小作主事」とあるのは「通商産業局長」と読み替えるものとする。

第三章　罰　則

（不出頭に対する制裁）
第三四條　裁判所又は調停委員会の呼出を受けた事件の関係人が正当な事由がなく出頭しないときは、裁判所は、三千円以下の過料に処する。

（措置違反に対する制裁）
第三五條　当事者又は参加人が正当な事由がなく第十二條（第十五條において準用する場合を含む。）の規定による措置に従わないときは、裁判所は、五千円以下の過料に処する。

（過料の裁判）
第三六條①　前二條の過料の裁判は、裁判官の命令で執行する。この命令は、執行力のある債務名義と同一の効力を有する。

②　過料の裁判の執行は、民事訴訟に関する法令の規定に従つてする。但し、執行前に裁判の送達をすることを要しない。

③　非訟事件手続法第二百七條及び第二百八條ノ二中検察官に関する規定は、第一項の過料の裁判には適用しない。

（評議の秘密を漏らす罪）
第三七條　調停委員又は調停委員であつた者が正当な事由がなく評議の経過又は調停主任若しくは調停委員の意見若しくはその多少の数を漏らしたときは、五千円以下の罰金に処する。

（人の秘密を漏らす罪）
第三八條　調停委員又は調停委員であつた者が正当な事由がなくその職務上取り扱つたことについて知り得た人の秘密を漏らしたときは、六箇月以下の懲役又は一万円以下の罰金に処する。

附　則（抄）

（借地借家調停法等の廃止）
第二條　借地借家調停法（大正十一年法律第四十一号）、小作調停法（大正十三年法律第十八号）、商事調停法

(大正十五年法律第四十二号) 及び金銭債務臨時調停法 (昭和七年法律第二十六号) は、廃止する。

(従前の調停事件)

第一三條　この法律施行前に裁判所が受理した調停事件については、なお従前の例による。

(調停委員となるべき者の選任等)

第一四條① この法律施行前に従前の法律の規定によつてした調停委員となるべき者の選任は、この法律の適用については、同法の規定によつてした選任とみなす。

② この法律施行後に同法の規定によつてした調停委員となるべき者の選任は、従前の法律の適用については、同法の規定によつてした選任とみなす。

③ 前二項の規定は、調停主任の指定に準用する。

(罰則の適用)

第一五條① この法律施行前にした行爲に対する罰則の適用については、なお従前の例による。

② 小作調停法又は金銭債務臨時調停法による調停委員又は調停委員であつた者のこの法律施行後の行爲に対する罰則の適用についても、前項と同様とする。但し、従前の規定中「千円」とあるのは「五千円」とする。

③ この法律施行後の行爲に対して従前の過料に関する規定を適用する場合には、その規定中「五十円」とあるのは「三千円」とし、「五百円」とあるのは「五千円」とする。但し、従前の家事審判法の規定中「五百円」とあるのは「三千円」とする。

④ この法律施行後に従前の例によるべき場合であつても、過料の裁判又は審判及びその執行については、第三十六條又はこの法律による改正後の家事審判法第二十九條の規定を適用する。

民事調停規則 (昭和二六・九・一五 最高裁規八)

施行　昭和二六・一〇・一 (附則)

第一章　通則

(規則の趣旨)

第一條　民事調停法 (昭和二十六年法律第二百二十二号。以下法という。) による調停に関しては、同法に定めるもののほか、この規則の定めるところによる。

(調停の申立)

第二條　調停の申立をするには、その趣旨及び紛争の要点を明らかにし、証拠書類がある場合には、同時に、その原本又は謄本を差し出さなければならない。

（申述の方式）

第三條①　申立その他の申述は、書面又は口頭ですることができる。

②　口頭で申述をするには、裁判所書記官の面前で陳述しなければならない。この場合には、裁判所書記官は、調書を作らなければならない。

（移送の裁判に対する抗告）

第四條　法第四條の規定による移送の裁判に対しては、当事者は、即時抗告をすることができる。

（訴訟手続の中止）

第五條　調停の申立があつた事件について訴訟が係属するとき、又は法第二十條の規定により訴訟事件が調停に付されたときは、受訴裁判所は、調停が終了するまで訴訟手続を中止することができる。但し、訴訟事件について争点及び証拠の整理が完了した後において当時者の合意がない場合には、この限りでない。

（強制執行手続等の停止）

第六條①　調停事件の係属する裁判所は、紛争の実情により事件を調停によつて解決することが相当である場合において、調停の成立を不能にし又は著しく困難ならしめる虞があるときは、申立により、担保を立てさせて、調停が終了するまで調停の目的となつた権利に関する強制執行手続又は競売法（明治三十一年法律第十五号）による競売手続を停止することを命ずることができる。但し、裁判及び調書その他裁判所において作成する書面の記載に基く強制執行手続については、この限りでない。

②　前項の申立をするには、その理由を疎明しなければならない。

③　民事訴訟法（明治二十三年法律第二十九号）第百十二條、第百十三條、第百十五條及び第百十六條の規定は、第一項の担保に準用する。

④　第一項の規定による裁判に対しては、当事者は、即時抗告をすることができる。

（期日の呼出）

第七條①　調停委員会は、期日を定めて、事件の関係人を呼び出さなければならない。

②　呼出状には、不出頭に対する法律上の制裁を記載しなければならない。

（本人の出頭義務）

第八條①　調停委員会の呼出を受けた当事者は、みずから出頭しなければならない。但し、やむを得ない事由があるときは、代理人を出頭させ、又は補佐人とともに出頭することができる。

②　弁護士でない者を前項の代理人又は補佐人とするには、調停委員会の許可を受けなければならない。

③　調停委員会は、何時でも、前項の許可を取り消すことができる。

（調停の場所）

第九條　調停委員会は、事件の実情によつて、裁判所の適当な場所で調停をすることができる。

（手続の非公開）

第一〇條　調停の手続は、公開しない。但し、調停委員会は、相当であると認める者の傍聴を許すことができる。

（調書）

第一一條　裁判所書記官は、調停手続について、調書を作らなければならない。但し、調停主任においてその必要がないと認めて許可したときは、この限りでない。

（職権調査）

第一二條①　調停委員会は、職権で、事実の調査及び必要であると認める証拠調をすることができる。

②　調停委員会は、調停主任に事実の調査又は証拠調をさせ、又は地方裁判所若しくは簡易裁判所にこれを嘱託することができる。

③　証拠調については、民事訴訟の例による。

（調査の嘱託）

第一三條　調停委員会は、必要な調査を官庁、公署その他適当であると認める者に嘱託することができる。

（証人等の旅費等）

第一四條　証人、鑑定人、通事及び前條の規定により調査の嘱託を受けた者には、別に定める旅費、日当、宿泊料その他の費用を支給する。

（費用の立替等）

第一五條　事実の調査、証拠調、呼出、告知その他必要な処分の費用は、国庫において立て替える。但し、調停委員会は、当事者にその費用を予納させることができる。

（調停前の措置をする場合の制裁の告知）

第一六條　調停委員会は、法第十二條の措置をする場合には、同時に、その違反に対する法律上の制裁を告知しなければならない。

（調停主任の指揮権）

第一七條　調停委員会における調停手続は、調停主任が指揮する。

（調停委員会の決議）

第一八條　調停委員会の決議は、過半数の意見による。可否同数のときは、調停主任の決するところによる。

（評議の秘密）

第一九條　調停委員会の評議は、秘密とする。

（裁判官の調停）

第二〇條　第七條から第十六條までの規定は、裁判官だけで調停を行う場合に準用する。この場合において、第十一條但書中「調停主任」とあるのは「裁判官」と読み替えるものとする。

（異議申立却下の裁判に対する抗告）

第二一條　法第十八條第一項の規定による異議の申立を却下する裁判に対しては、異議申立人は、即時抗告をすることができる。

（費用の負担）

第二二條　法第十六條の規定により調停が成立した場合において、調停條項中に費用の負担に関する定をしないときは、各当事者は、その支出した費用をみずから負担するものとする。

（記録の閲覧等）

第二三條①　当事者又は利害関係人は、裁判所書記官に対し、記録の閲覧若しくは謄写又はその正本、謄本、抄本若しくは事件に関する証明書の交付を求めることができる。但し、閲覧又は謄写については、記録の保存又は裁判所の執務に差しつかえがあるときは、この限りでない。

② 前項の規定により記録の閲覧若しくは謄写又は書類の交付を求めるには、別に定める手数料を納めなければならない。但し、当事者が事件の係属中記録の閲覧又は謄写を求める場合は、この限りでない。

（受訴裁判所に対する通知）

第二四條　法第二十條第二項の規定により訴の取下があつたものとみなされるときは、調停事件の係属した裁判所は、受訴裁判所に対し、遅滞なく、その旨を通知しなければならない。

（当事者に対する通知）
第二五条　法第十三条及び第十四条（いずれも法第十五条において準用する場合を含む。）の規定により事件が終了したとき、又は法第十八条第二項の規定により決定が効力を失つたときは、裁判所は、当事者に対し、遅滞なく、その旨を通知しなければならない。

（過料の裁判に対する抗告）
第二六条　過料の裁判に対しては、その裁判を受けた者は、即時抗告をすることができる。

（即時抗告の効力）
第二七条　第四条、第六条第四項、第二十一条及び前条の即時抗告は、執行停止の効力を有する。

第二章　特　則

第一節　農　事　調　停

（小作官等に対する事件受理等の通知）
第二八条①　裁判所は、調停の申立を受けたときは、小作官又は小作主事に対し、遅滞なく、その旨を通知しなければならない。但し、法第四条第一項本文の規定により事件を移送する場合は、この限りでない。

②　前項本文の規定は、裁判所が事件の移送を受け若しくは法第二十条の規定により事件を受理したとき、又は受訴裁判所が同条の規定により事件を調停に付した上みずから処理するときに準用する。

（和解の仲介）
第二九条①　調停委員会は、紛争の実情により適当であると認めるときは、何時でも、農業委員会に和解の仲介をさせることができる。

②　前条第一項本文の規定は、前項の規定により和解の仲介をさせるときに準用する。

（農業委員会の紛争経過陳述）
第三〇条　農業委員会は、調停委員会に対し、紛争の経過について陳述することができる。

（農業委員会等の意見聴取）
第三一条　調停委員会は、必要があると認めるときは、農業委員会その他適当であると認める者に対し、意見を求めることができる。

（裁判官の調停への準用）
第三二条　前三条の規定は、裁判官だけで調停を行う場合に準用する。

（小作官等に対する事件終了等の通知）

第三三條　裁判所は、事件が終了したとき又は法第十八條第二項の規定により決定が効力を失つたときは、小作官又は小作主事に対し、遅滞なく、その旨を通知しなければならない。

第二節　商事調停

（当事者の審尋）

第三四條　調停委員会は、法第三十一條の規定により調停條項を定めようとするときは、当事者を審尋しなければならない。

第三節　鉱害調停

（農事調停等に関する規定の準用）

第三五條　前二節の規定は、鉱害調停事件に準用する。この場合において、「小作官又は小作主事」及び「農業委員会」とあるのは「通商産業局長」と読み替えるものとする。

（小作官等の意見陳述）

第三六條①　小作官又は小作主事は、調停の目的となつた紛争が農地その他の農業用資産の利用関係に関連する場合においては、調停委員会に対し、意見を述べることができる。

② 前項の規定は、裁判官だけで調停を行う場合に準用する。

民事調停法による申立手数料等規則

（昭和二六・九・一五　最高裁規九）

施行　昭和二六・一〇・一（附則）
改正　昭和二七最高裁規八・最高裁規一六

（調停の申立の手数料）

第一條　民事調停法（昭和二十六年法律第二百二十二号）による調停の申立の手数料の額は、左の通りとする。

一　調停を求める事項の価額千円まで　十円
二　調停を求める事項の価額二千円まで　二十円
三　調停を求める事項の価額五千円まで　三十円
　調停を求める事項の価額が五千円をこえるものは、五千円をこえ十万円までの部分については千円ごとに六円を、十万円をこえ五十万円までの部分については千円ごとに四円を、五十万円をこえる部分については千円ごとに二円を加える。

（閲覧等の手数料）

第二條①　民事調停規則（昭和二十六年最高裁判所規則第八号）第二十三條第二項の規定による記録の閲覧及び謄写についての手数料は、一件について四円とする。

②　民事調停規則第二十三條第二項の規定による書類の交付についての手数料は、一枚について四円とする。一枚に満たないときも、同様である。

（納付の方法）

第三條　前二條の手数料は、収入印紙で納めなければならない。

（調停委員等の日当）

第四條　調停委員及び民事調停法第八條の規定により調停の補助をした者の日当は、一日三百四十円以内において、裁判所が定める。

（証人の日当）

第五條　証人の日当は、一日百八十円以内において、裁判所が定める。

（鑑定人等の日当）

第六條①　鑑定人、通事及び民事調停規則第十三條の規定により調査の囑託を受けた者の日当は、一日五百四十円以内において、裁判所が定める。

②　鑑定、通訳又は調査に多くの時間又は特別の技能若しくは費用を要するときは、裁判所は、前項の日当のほかに、相当な金額を支給することができる。

（宿泊料）

第七條　第四條から前條までに掲げる者の宿泊料は、東京都の区のある区域、京都市、大阪市、名古屋市、神戸市及び横浜市においては一日九百四十円以内、その他の地においては一日七百五十円以内において、裁判所が定める。

（旅費）

第八條　前條に掲げる者の旅費は、鉄道又は汽船の通う水路の場合には、運賃の等級を三階級以上に区分するものについては二等旅客運賃、その等級を二階級に区分するものについては上級の運賃、その等級を設けないものについてはその乗車又は乗船に要する運賃により、その他の場合には、一粁ごとに八円とする。但し、一粁未満の端数は、切り捨てる。

調停委員規則（昭和二六・九・一五最高裁規一一）

施行　昭和二六・一〇・一（附則）

（規則の趣旨）

第一條　民事調停法（昭和二十六年法律第二百二十二号）又は家事審判法（昭和二十二年法律第百五十二号）による調停委員となるべき者の選任等に関しては、民事調停法及び家事審判法並びに民事調停規則（昭和二十六年最高裁判所規則第八号）及び家事審判規則（昭和二十二年最高裁判所規則第十五号）に定めるもののほか、この規則の定めるところによる。

（選任の基準）

第二條①　調停委員となるべき者は、徳望良識のある者の中から選任しなければならない。

②　地方裁判所による調停委員となるべき者の選任は、民事調停法第二章各節に定める調停事件（以下各種調停事件という。）以外の調停事件（以下一般調停事件という。）及び各種調停事件について、その種類ごとに区別してしなければならない。

③　各種調停事件の調停委員となるべき者の選任は、第一項に定める者で特別の知識経験を有するものの中からしなければならない。

（選任の不適格事由）

第三條　左の各号の一に該当する者は、調停委員となるべき者に選任することができない。

一　禁治産者及び準禁治産者

二　禁こ以上の刑に処せられた者

三　公務員として免職の懲戒処分を受けた者

四　裁判官として裁判官弾劾裁判所の罷免の裁判を受けた者

五　弁護士として除名の懲戒処分を受けた者

（選任される者の員数）

第四條　調停委員となるべき者に選任される者の員数は、各地方裁判所又は各家庭裁判所につき、実員二百人以上五百人以下とする。但し、特に必要がある場合においてあらかじめ最高裁判所の認可を受けたときは、この限りでない。

（選任についての意見聴取）

第五條①　地方裁判所は、調停委員となるべき者（農事調停事件及び鉱害調停事件の調停委員となるべき者を除く。）を選任するには、当該地方裁判所の管轄区域内にある簡易裁判所の司法行政事務を掌理する裁判官の意見を聞かなければならない。

② 地方裁判所は、農事調停事件又は鉱害調停事件の調停委員となるべき者を選任するには、それぞれ当該地方裁判所の所在地を管轄する都道府県知事又は通商産業局長の意見を聞かなければならない。

（選任の取消）

第六條 地方裁判所又は家庭裁判所は、調停委員となるべき者に調停委員たるにふさわしくない行為があつたときは、その選任を取り消さなければならない。

（指定の辞退の制限）

第七條 調停委員となるべき者に選任された者が調停委員に指定されたときは、正当な事由がなければ、これを辞退することができない。

（指定の取消）

第八條 調停主任又は家事審判官は、事件を処理するため特に必要があると認めるときは、調停委員の指定を取り消すことができる。

② 第六條の規定により選任を取り消された者が調停委員である場合には、調停主任又は家事審判官は、その指定を取り消さなければならない。

（その他の事項）

第九條 この規則に定めるもののほか、調停委員となるべき者の選任及び調停委員の指定に関し必要な事項は、地方裁判所又は家庭裁判所において定めることができる。

附　則（抄）

② この規則施行前に民事調停法附則による廃止又は改正前の借地借家調停法（大正十一年法律第四十一号）、小作調停法（大正十三年法律第十八号）、商事調停法（大正十五年法律第四十二号）、金銭債務臨時調停法（昭和七年法律第二十六号）、戦時民事特別法（昭和十七年法律第六十三号）、鉱業法（昭和二十五年法律第二百八十九号）又は家事審判法の規定によつてした調停委員となるべき者の選任は、この規則の適用については、この規則によつてした選任とみなす。

③ 前項の規定の適用については、金銭債務臨時調停法又は戦時民事特別法による調停委員となるべき者の選任は、一般調停事件の調停委員となるべき者の、借地借家調停法、小作調停法、商事調停法又は鉱業

法による調停委員となるべき者の選任は、それぞれ宅地建物調停事件、農事調停事件、商事調停事件又は鉱害調停事件の調停委員となるべき者の選任とみなす。

④　この規則施行後にこの規則の規定によつてした調停委員となるべき者の選任は、従前の法律の適用については、従前の法律の規定によつてした選任とみなす。

⑤　前項の規定の適用については、一般調停事件の調停委員となるべき者の選任は、金銭債務臨時調停法又は戦時民事特別法による調停委員となるべき者の、宅地建物調停事件、農事調停事件、商事調停事件又は鉱害調停事件の調停委員となるべき者の選任は、それぞれ借地借家調停法、小作調停法、商事調停法又は鉱業法による調停委員となるべき者の選任とみなす。

非訟事件手続法（明治三一・六・二一法一四）

施行　明治三一・七・一六（附則）

改正　明治三二法五一、明治四四法七四、大正一二法一九、大正一一法六三・法七一、大正一五法六七、昭和二法三三、昭和四法六〇、昭和六法四二、昭和九法三、**昭和一四法七九**、昭和一六法二二、昭和二二法六一・**法一五三**・法一九五、昭和二三法一五一、昭和二四法一三七、昭和二六法二一三、昭和二七法二六八

第一編　総則

第一條〔適用範圍〕　裁判所ノ管轄ニ屬スル非訟事件ニ付テハ本法其他ノ法令ニ別段ノ定アル場合ヲ除ク外本編ノ規定ヲ適用ス

第二條〔管轄裁判所〕①　裁判所ノ土地ノ管轄カ住所ニ依リテ定マル場合ニ於テ日本ニ住所ナキトキ又ハ日本ノ住所ノ知レサルトキハ居所地ノ裁判所ヲ以テ管轄裁判所トス

②　居所ナキトキ又ハ居所ノ知レサルトキハ最後ノ住所地ノ裁判所ヲ以テ管轄裁判所トス

③　最後ノ住所ナキトキ又ハ其住所ノ知レサルトキハ財産ノ所在地又ハ最高裁判所ノ指定シタル地ノ裁判所ヲ以テ管轄裁判所トス相續開始地ノ裁判所カ管轄裁判所ナル場合ニ於テ相續カ外國ニ於テ開始シタル

トキ亦同シ

第三條〔優先管轄・移送〕　數個ノ管轄裁判所アル場合ニ於テハ最初事件ノ申立ヲ受ケタル裁判所其事件ヲ管轄ス但其裁判所ハ申立ニ因リ又ハ職權ヲ以テ適當ト認ムル他ノ管轄裁判所ニ事件ヲ移送スルコトヲ得

第四條〔管轄裁判所の指定〕①　管轄裁判所ノ指定ハ數箇ノ裁判所ノ土地ノ管轄ニ付キ疑アルトキ之ヲ爲ス

②　管轄裁判所ノ指定ハ關係アル裁判所ニ共通スル直近上級裁判所申立ニ因リ決定ヲ以テ之ヲ爲ス此決定ニ對シテハ不服ヲ申立ツルコトヲ得ス

第五條〔裁判所職員の除斥〕　裁判所職員ノ除斥ニ關スル民事訴訟法ノ規定ハ非訟事件ニ之ヲ準用ス

第六條〔代理人〕①　事件ノ關係人ハ訴訟能力者ヲシテ代理セシムルコトヲ得但自身出頭ヲ命セラレタルトキハ此限ニ在ラス

②　裁判所ハ辯護士ニ非スシテ代理ヲ營業トスル者ニ退斥ヲ命スルコトヲ得此命令ニ對シテハ不服ヲ申立ツルコトヲ得ス

第七條〔代理權の證明〕　民事訴訟法第八十條ノ規定ハ前條第一項ノ場合ニ之ヲ準用ス但私文書ニ認證ヲ受クヘキ旨ノ命令ニ對シテハ不服ヲ申立ツルコトヲ得ス

第八條〔申立・陳述の方式〕　民事訴訟法第百五十條ノ規定ハ申立及ヒ陳述ニ之ヲ準用ス

第九條〔申立の一般的記載事項〕①　申立ニハ左ノ事項ヲ記載シ申立人又ハ代理人之ニ署名、捺印スヘシ

一　申立人ノ氏名、住所

二　代理人ニ依リテ申立ヲ爲ストキハ其氏名、住所

三　申立ノ趣旨及ヒ其原因タル事實

四　年月日

五　裁判所ノ表示

②　證據書類アルトキハ其原本又ハ謄本ヲ添附スヘシ

第一〇條〔手續に關する民訴法の準用〕　期日、期間、疏明ノ方法、人證及ヒ鑑定ニ關スル民事訴訟法ノ規定ハ非訟事件ニ之ヲ準用ス

第一一條〔職權探知〕　裁判所ハ職權ヲ以テ事實ノ探知及ヒ必要ト認ムル證據調ヲ爲スヘシ

第一二條〔他の裁判所への囑託〕　事實ノ探知、呼出、告知及ヒ裁判ノ執行ニ關スル行爲ハ之ヲ囑託スルコトヲ得

第一三條〔手續の非公開〕　審問ハ之ヲ公行セス但裁判所ハ相當ト認ムル者ニ傍聽ヲ許スコトヲ得

第一四條〔尋問調書〕　證人又ハ鑑定人ノ訊問ニ付テハ調書ヲ作ラシメ其他ノ審問ニ付テハ必要ト認ムル場合ニ限リ之ヲ作ラシムヘシ

第一五條〔検察官の立會〕①　検察官ハ事件ニ付キ意見ヲ述ヘ審問ヲ爲ス場合ニ於テハ之ニ立會フコトヲ得

②　事件及ヒ審問期日ハ検察官ニ之ヲ通知スヘシ

第一六條〔官庁の検察官への通知義務〕　裁判所其他ノ官廳、検察官及ヒ公吏ハ其職務上検察官ノ請求ニ因リテ裁判ヲ爲スヘキ場合カ生シタルコトヲ知リタルトキハ之ヲ管轄裁判所ニ對應スル検察廳ノ検察官ニ通知スヘシ

第一七條〔裁判〕①　裁判ハ決定ヲ以テ之ヲ爲ス

②　裁判ノ原本ニハ裁判官署名、捺印スヘシ但申立書又ハ調書ニ裁判ヲ記載シ裁判官之ニ署名、捺印シテ原本ニ代フルコトヲ得

③　裁判ノ正本及ヒ謄本ニハ書記署名、捺印シ且正本ニハ裁判所ノ印ヲ押捺スヘシ

第一八條〔裁判の発効〕①　裁判ハ之ヲ受クル者ニ告知スルニ因リテ其效力ヲ生ス

②　裁判ノ告知ハ裁判所ノ相當ト認ムル方法ニ依リテ之ヲ爲ス

③　告知ノ方法、場所及ヒ年月日ハ之ヲ裁判ノ原本ニ記入スヘシ

第一九條〔裁判の取消・変更〕①　裁判所ハ裁判ヲ爲シタル後其裁判ヲ不當ト認ムルトキハ之ヲ取消シ又ハ變更スルコトヲ得

②　申立ニ因リテノミ裁判ヲ爲スヘキ場合ニ於テ申立ヲ却下シタル裁判ハ申立ニ因ルニ非サレハ之ヲ取消シ又ハ變更スルコトヲ得ス

③　即時抗告ヲ以テ不服ヲ申立ツルコトヲ得ル裁判ハ之ヲ取消シ又ハ變更スルコトヲ得ス

第二〇條〔抗告〕①　裁判ニ因リテ權利ヲ害セラレタリトスル者ハ其裁判ニ對シテ抗告ヲ爲スコトヲ得

②　申立ニ因リテノミ裁判ヲ爲スヘキ場合ニ於テ申立ヲ却下シタル裁判ニ對シテハ申立人ニ限リ抗告ヲ爲スコトヲ得

第二一條〔抗告の効力〕　抗告ハ特ニ定メタル場合ヲ除ク外執行停止ノ效力ヲ有セス

第二二條〔抗告期間経過後の追完〕　當事者カ其責ニ歸スヘカラサル事由ニ因リ即時抗告ノ期間ヲ遵守スルコト能ハサル場合ニ於テハ其事由ノ止ミタル後一週間内ニ限リ懈怠シタル行爲ノ追完ヲ爲スコトヲ得

第二三條〔抗告審の裁判〕　抗告裁判所ノ裁判ニハ理由ヲ附スルコトヲ要ス

第二四條　削除

第二五條〔抗告手續〕　抗告ニハ特ニ定メタルモノヲ除ク外民事訴訟法ノ抗告ニ關スル規定ヲ準用ス

第二六條〔費用の負担〕　裁判前ノ手續及ヒ裁判ノ告知ノ費用ハ特ニ其負擔者ヲ定メタル場合ヲ除ク外事件ノ申立人ノ負擔トス但檢察官又ハ法務大臣カ申立ヲ爲シタル場合ニ於テハ國庫ノ負擔トス

第二七條〔費用額の裁判〕　裁判所ハ前條ノ費用ニ付キ裁判ヲ爲スコトヲ必要ト認ムルトキハ其額ヲ確定シテ事件ノ裁判ト共ニ之ヲ爲スヘシ

第二八條〔費用負担の裁判〕　裁判所ハ特別ノ事情アルトキハ本法ノ規定ニ依リテ費用ヲ負擔スヘキ者ニ非サル關係人ニ費用ノ全部又ハ一部ノ負擔ヲ命スルコトヲ得

第二九條〔費用の共同負担〕　民事訴訟法第九十三條ノ規定ハ共同ニテ費用ヲ負擔スヘキ者數人アル場合ニ之ヲ準用ス

第三〇條〔費用の裁判に対する不服申立〕　費用ノ裁判ニ對シテハ其負擔ヲ命セラレタル者ニ限リ不服ヲ申立ツルコトヲ得但獨立シテ不服ヲ申立ツルコトヲ得ス

第三一條〔費用の強制執行〕①　費用ノ債權者ハ費用ノ裁判ニ基キテ强制執行ヲ爲スコトヲ得

②　民事訴訟法第六編ノ規定ハ前項ノ强制執行ニ之ヲ準用ス但執行ヲ爲ス前裁判ヲ送達スルコトヲ要セス

③　費用ノ裁判ニ對スル抗告アリタルトキハ民事訴訟法第五百條ノ規定ヲ準用ス

第三二條〔費用の立替〕　職權ヲ以テ爲ス探知、證據調、呼出、告知其他必要ナル處分ノ費用ハ國庫ニ於テ之ヲ立替フヘシ

第三三條〔申立の意義〕　本編ニ於ケル申立トハ申立、申請及ヒ申述ヲ謂フ

民事訴訟用印紙法（明治二三・八・一六 法六五）

施行　明治二四・一・一（上諭）
改正　明治四三法一五、大正一五法六四、昭和六法一八、昭和二三法一〇一、昭和二五法二八八、昭和二六法二二二

第一條〔印紙の貼用〕　民事訴訟ノ書類ニハ以下數條ノ規定ニ從ヒ其正本ニ印紙ヲ貼用ス可シ但裁判所書記

ニ口述シテ調書ヲ作ラシメタルトキハ其調書ニ印紙ヲ貼用ス可シ

第二條〔財産權上の訴状〕① 財産權上ノ請求ニ係ル第一審ノ訴狀ニハ訴訟物ノ價額ニ應シ左ノ區別ニ從ヒ印紙ヲ貼用ス可シ

訴訟物ノ價額	金五百圓マテ	十五圓
同	二千圓マテ	三十圓
同	五千圓マテ	五十圓
同	五千圓ヲ超ユルモノハ五千圓ヲ超エ十萬圓マテノ部分ニ付テハ千圓ニ達スル毎ニ十圓、十萬圓ヲ超エ五十萬圓マテノ部分ニ付テハ千圓ニ達スル毎ニ七圓、五十萬圓ヲ超ユル部分ニ付テハ千圓ニ達スル毎ニ五圓ヲ加フ	

② 訴訟物ノ價額ヲ算定スルニハ民事訴訟法第二十二條第一項及ヒ第二十三條ノ規定ニ從フ

第三條〔非財産權上の訴状〕① 財産權上ノ請求ニ非サル訴訟ニ付テハ其訴訟物ノ價額三萬一千圓ト看做シ印紙ヲ貼用ス可シ

② 財産權上ノ請求ニ非サル訴訟ト其訴訟ニ由テ生スル財産權上ノ訴訟ト併合スルトキハ其多額ナル一方ノ訴訟物ノ價額ニ依リ印紙ヲ貼用ス可シ

第四條〔反訴状〕 本訴ト反訴ト其目的カ同一ノ訴訟物ナルトキハ反訴ノ訴狀ニ印紙ヲ貼用スルヲ要セス

第四條ノ二〔調停より訴訟に移行する際の訴状〕 民事調停法（昭和二十六年法律第二百二十二号）第十九條又ハ家事審判法（昭和二十二年法律第百五十二号）第二十六條第二項ノ訴ノ訴狀ニ付テハ調停ノ申立ノ手数料ト同額ノ印紙ハ之ヲ貼用シタルモノト看做ス

第五條〔控訴状・上告状〕 控訴狀ニハ第二條ノ規定ニ從ヒ其半額上告狀ニハ其全額ノ印紙ヲ加貼ス可シ

第五條ノ二〔当事者参加申出書〕 民事訴訟法第七十一條又ハ第七十五條ノ規定ニ依ル參加ノ申出書ニハ第二條、第三條及ヒ前條ノ規定ニ準シ印紙ヲ貼用ス可シ

第六條〔支払命令の申立〕 支拂命令ノ申立ニハ第二條ニ依リ第一審ノ訴狀ニ貼用ス可キ印紙金額ノ半額ノ印紙ヲ貼用ス可シ

第六條ノ二〔その他の特別の申立の一〕 左ニ掲クル申立、申出又ハ申請ニシテ訴訟物ノ價額又ハ請求ノ價額五千圓以下ナル場合ニ於テハ五圓ノ印紙ヲ、五千

圓ヲ超過スル場合ニ於テハ十圓ノ印紙ヲ貼用ス可シ
一 期日指定ノ申立
二 中斷又ハ中止シタル訴訟手續ノ受繼ノ申立
三 民事訴訟法第六十四條ノ參加ノ申出
四 除斥又ハ忌避ノ申立
五 和解ノ申立
六 費用額確定ノ申立
七 假執行ニ關スル申立
八 強制執行ノ停止若クハ續行又ハ執行處分ノ取消ノ申立
九 配當要求
十 強制競賣又ハ強制管理ノ申立
十一 債權又ハ他ノ財産權差押ノ申請
十二 民事訴訟法第七百三十二條乃至第七百三十四條ノ申立

第六條ノ三〔その他の特別の申立の二〕 左ニ掲クル申立、申出又ハ申請ニシテ訴訟物ノ價額又ハ請求ノ價額五千圓以下ナル場合ニ於テハ十圓ノ印紙ヲ、五千圓ヲ超過スル場合ニ於テハ二十圓ノ印紙ヲ貼用ス可シ
一 抗告
二 削除
三 證據ノ申出
四 假差押又ハ假處分ノ申請
五 削除
六 執行力アル正本ヲ求ムル申立但二通以上ヲ求ムルトキハ一通毎ニ印紙ヲ貼用ス可シ

第七條〔和解及び督促手続が訴訟になつた場合〕 和解及ヒ督促手續ニ付キ民事訴訟法第三百五十六條第三項又ハ第四百四十二條ノ規定ニ依リ訴訟カ繋屬スルトキハ第二條及ヒ第三條ノ規定ニ從ヒ印紙ヲ貼用ス可シ但第六條又ハ第十條ノ規定ニ依リ貼用シタル印紙ノ額ヲ通算ス

第八條〔再審訴状〕 再審ヲ求ムルノ訴状ニハ其訴ヲ爲ス可キ裁判所ノ審級ニ依リ相當ノ印紙ヲ貼用ス可シ

第九條 削除

第一〇條〔答弁書その他の申出〕 答辯書其他前數條ニ掲ケサル申立、申出又ハ申請ニシテ訴訟物ノ價額又ハ請求ノ價額五千圓以下ナル場合ニ於テハ五圓ノ印紙ヲ、五千圓ヲ超過スル場合ニ於テハ七圓ノ印紙ヲ貼用ス可シ

第一一條〔印紙不貼用の効果〕 民事訴訟法第百二十條

第一號ノ場合ノ外此法律ニ從ヒ印紙ヲ貼用セサル民事訴訟ノ書類ハ其效ナキモノトス但印紙ヲ貼用セス又ハ貼用スルモ不足アルトキハ裁判所ハ相當印紙ヲ貼用セシメ之ヲ有效ナラシムルヲ得

第一二條乃至第一五條　削除

第一六條〔非訟事件に関する申立〕①　非訟事件ニ關スル申立又ハ申請ニシテ請求ノ價額五千圓以下ナル場合ニ於テハ五圓ノ印紙ヲ、五千圓ヲ超過スル場合ニ於テハ七圓ノ印紙ヲ貼用ス可シ但第六條ノ三ノ規定ハ非訟事件ニ之ヲ準用ス

② 左ニ掲クル申立又ハ申請ニシテ請求ノ價額五千圓以下ナル場合ニ於テハ十圓ノ印紙ヲ、五千圓ヲ超過スル場合ニ於テハ二十圓ノ印紙ヲ貼用ス可シ

一　裁判上代位ノ申請

二　競賣法ニ依ル競賣ノ申立

三　競賣法ニ依ル競賣又ハ不動産登記ニ關スル抗告

四　抵當證券法ニ依ル異議ノ申立及ヒ同法第三十二條第一項ノ規定ニ依ル許可ノ申請

③ 非訟事件ニ關スル申立又ハ申請ニシテ請求ノ價額ナキモノハ其請求ノ價額五千圓以下ノモノト看做ス

④ 第十一條ノ規定ハ之ヲ非訟事件ニ準用ス

附　則（大正一五・四・二四法六四）

本法施行ノ期日ハ勅令ヲ以テ之ヲ定ム（昭和四・一〇・一施行―昭和四勅一〇五）

家事審判法（昭和二二・一二・六法一五二）

施行　昭和二三・一・一（附則）

改正　昭和二三法二六〇、昭和二五法一二三、昭和二六法二二二

第一章　総　則

第一条〔目的〕　この法律は、個人の尊厳と両性の本質的平等を基本として、家庭の平和と健全な親族共同生活の維持を図ることを目的とする。

第二条〔家事審判官〕　家庭裁判所において、この法律に定める事項を取り扱う裁判官は、これを家事審判官とする。

第三条〔審判、調停の機関〕①　審判は、特別の定がある場合を除いては、家事審判官が、参与員を立ち合わせ、又はその意見を聴いて、これを行う。但し、家庭裁判所は、相当と認めるときは、家事審判官だけで審判を行うことができる。

②　調停は、家事審判官及び調停委員を以て組織する調停委員会がこれを行う。前項但書の規定は、調停にこれを準用する。

③　家庭裁判所は、当事者の申立があるときは、前項後段の規定にかかわらず、調停委員会で調停を行わなければならない。

第四條〔除斥・忌避・回避〕　裁判所職員の除斥、忌避及び回避に関する民事訴訟法の規定で、裁判官に関するものは、家事審判官及び參與員に、裁判所書記に関するものは、家庭裁判所の書記にこれを準用する。

第五條〔參与員・調停委員の旅費・日当・止宿料〕　參與員及び調停委員には、最高裁判所の定める旅費、日当及び止宿料を支給する。

第六條〔手数料〕　審判又は調停の申立をするには、最高裁判所の定める手数料を納めなければならない。

第七條〔非訟事件手続法の準用〕　特別の定がある場合を除いて、審判及び調停に関しては、その性質に反しない限り、非訟事件手続法第一編の規定を準用する。但し、同法第十五條の規定は、この限りでない。

第八條〔最高裁判所の規則〕　この法律に定めるものの外、審判又は調停に關し必要な事項は、最高裁判所がこれを定める。

第二章　審　判

第九條〔審判事項の分類〕①　家庭裁判所は、左の事項について審判を行う。

甲類

一　民法第七條及び第十條の規定による禁治產の宣告及びその取消

二　民法第十二條第二項及び第十三條の規定による準禁治產の宣告、その取消その他の準禁治產に関する処分

三　民法第二十五條乃至第二十九條の規定による不在者の財產の管理に関する処分

四　民法第三十條及び第三十二條第一項の規定による失踪の宣告及びその取消

五　民法第七百七十五條の規定による特別代理人の選任

六　民法第七百九十一條第一項又は第二項の規定による子の氏の変更についての許可

七　民法第七百九十四條又は第七百九十八條の規定による養子をするについての許可

八　民法第八百十一条第三項の規定による離縁をするについての許可
九　民法第八百二十二条又は第八百五十七条（同法第八百六十七条第二項において準用する場合を含む。）の規定による懲《ちよう》戒に関する許可その他の処分
十　民法第八百二十六条（同法第八百六十条において準用する場合を含む。）の規定による特別代理人の選任
十一　民法第八百三十条第二項乃至第四項（同法第八百六十九条において準用する場合を含む。）の規定による財産管理者の選任その他の財産の管理に関する処分
十二　民法第八百三十四条乃至第八百三十六条の規定による親権又は管理権の喪失の宣告及びその取消
十三　民法第八百三十七条の規定による親権又は管理権を辞し、又は回復するについての許可
十四　民法第八百四十一条（同法第八百四十七条第一項において準用する場合を含む。）又は第八百四十九条の規定による後見人、保佐人又は後見監督人の選任
十五　民法第八百四十四条（同法第八百四十七条第一項及び第八百五十二条において準用する場合を含む。）の規定による後見人、保佐人又は後見監督人の辞任についての許可
十六　民法第八百四十五条（同法第八百四十七条第一項及び第八百五十二条において準用する場合を含む。）の規定による後見人、保佐人又は後見監督人の解任
十七　民法第八百四十七条第二項の規定による臨時保佐人の選任
十八　民法第八百五十三条第一項但書（同法第八百六十七条第二項において準用する場合を含む。）の規定による財産目録の調製の期間の伸長
十九　民法第八百五十八条第二項の規定による禁治産者の入院等についての許可
二十　民法第八百六十二条（同法第八百六十七条第二項において準用する場合を含む。）の規定による後見人に対する報酬の付与
二十一　民法第八百六十三条（同法第八百六十七条第二項において準用する場合を含む。）の規定

による後見の事務の報告、財産目録の提出、後見の事務又は財産の状況の調査、財産の管理その他の後見の事務に関する処分

二十二　民法第八百七十條但書の規定による管理計算の期間の伸長

二十三　民法第八百九十五條の規定による遺産の管理に関する処分

二十四　民法第九百十五條第一項但書の規定による相続の承認又は放棄の期間の伸長

二十五　民法第九百十八條第二項及び第三項（同法第九百二十六條第二項、第九百三十六條第三項及び第九百四十條第二項において準用する場合を含む。）の規定による相続財産の保存又は管理に関する処分

二十六　民法第九百二十四條の規定による相続の限定承認の申述の受理

二十七　民法第九百三十條第二項（同法第九百四十七條第三項、第九百五十條第二項及び第九百五十七條第二項において準用する場合を含む。）、第九百三十二條但書（同法第九百四十七條第三項及び第九百五十條第二項において準用する場合を含む。）又は第千二十九條第二項の規定による鑑定人の選任

二十八　民法第九百三十六條第一項の規定による相続財産の管理人の選任

二十九　民法第九百三十八條の規定による相続の放棄の申述の受理

三十　民法第九百四十一條第一項又は第九百五十條第一項の規定による相続財産の分離に関する処分

三十一　民法第九百四十三條（同法第九百五十條第二項において準用する場合を含む。）の規定による相続財産の管理に関する処分

三十二　民法第九百五十二條及び第九百五十三條又は第九百五十八條の規定による相続財産の管理人の選任その他相続財産の管理に関する処分

三十三　民法第九百七十六條第二項又は第九百七十九條第二項の規定による遺言の確認

三十四　民法第千四條第一項の規定による遺言書の検認

三十五　民法第千十條の規定による遺言執行者の選任

三十六　民法第千十八条第一項の規定による遺言執行者に対する報酬の付与
三十七　民法第千十九条の規定による遺言執行者の解任及び遺言執行者の辞任についての許可
三十八　民法第千二十七条の規定による遺言の取消
三十九　民法第千四十三条第一項の規定による遺留分の放棄についての許可

乙類

一　民法第七百五十二条の規定による夫婦の同居その他の夫婦間の協力扶助に関する処分
二　民法第七百五十八条第二項及び第三項の規定による財産の管理者の変更及び共有財産の分割に関する処分
三　民法第七百六十条の規定による婚姻から生ずる費用の分担に関する処分
四　民法第七百六十六条第一項又は第二項（同法第七百四十九条、第七百七十一条及び第七百八十八条において準用する場合を含む。）の規定による子の監護者の指定その他子の監護に関する処分
五　民法第七百六十八条第二項（同法第七百四十九条及び第七百七十一条において準用する場合を含む。）の規定による財産の分与に関する処分
六　民法第七百六十九条第二項（同法第七百四十九条、第七百五十一条第二項、第七百七十一条、第八百八条第二項及び第八百十七条において準用する場合を含む。）又は第八百九十七条第二項の規定による同條第一項の権利の承継者の指定
七　民法第八百十九条第五項又は第六項の規定による親権者の指定又は変更
八　民法第八百七十七条乃至第八百八十条の規定による扶養に関する処分
九　民法第八百九十二条乃至第八百九十四条の規定による推定相続人の廃除及びその取消
十　民法第九百七条第二項及び第三項の規定による遺産の分割に関する処分

②　家庭裁判所は、この法律に定めるものの外、他の法律において特に家庭裁判所の権限に属させた事項についても、審判を行う権限を有する。

第一〇条〔参与員〕①　参与員の員数は、各事件について一人以上とする。

②　參與員は、家庭裁判所が毎年前もつて選任する者の中から、家庭裁判所が各事件についてこれを指定する。

③　前項の規定により選任される者の資格、員数その他同項の選任に関し必要な事項は、最高裁判所がこれを定める。

第一一條〔職権調停〕　家庭裁判所は、何時でも、職権で第九條第一項乙類に規定する審判事件を調停に付することができる。

第一二條〔利害関係人の參加〕　家庭裁判所は、相当と認めるときは、審判の結果について利害関係を有する者を審判手続に參加させることができる。

第一三條〔審判の発効〕　審判は、これを受ける者に告知することによつてその効力を生ずる。但し、即時抗告をすることのできる審判は、確定しなければその効力を生じない。

第一四條〔即時抗告〕　審判に対しては、最高裁判所の定めるところにより、即時抗告のみをすることができる。その期間は、これを二週間とする。

第一五條〔審判の執行力〕　金銭の支拂、物の引渡、登記義務の履行その他の給付を命ずる審判は、執行力ある債務名義と同一の効力を有する。

第一六條〔財産管理者の権利義務〕　民法第六百四十四條、第六百四十六條、第六百四十七條及び第六百五十條の規定は、家庭裁判所が選任した財産の管理をする者にこれを準用する。

第三章　調　停

第一七條〔調停事件の範囲〕　家庭裁判所は、人事に関する訴訟事件その他一般に家庭に関する事件について調停を行う。但し、第九條第一項甲類に規定する審判事件については、この限りでない。

第一八條〔調停前置主義〕①　前條の規定により調停を行うことができる事件について訴を提起しようとする者は、まず家庭裁判所に調停の申立をしなければならない。

②　前項の事件について調停の申立をすることなく訴を提起した場合には、裁判所は、その事件を家庭裁判所の調停に付しなければならない。但し、裁判所が事件を調停に付することを適当でないと認めるときは、この限りでない。

第一九條〔受訴裁判所の職権調停〕①　第十七條の規定

により調停を行うことができる事件に係る訴訟が係属している場合には、裁判所は、何時でも、職権でその事件を家庭裁判所の調停に付することができる。
② 前項の規定により事件を調停に付した場合において、調停が成立し又は第二十三条若しくは第二十四条第一項の規定による審判が確定したときは、訴の取下があつたものとみなす。
第二〇條〔利害関係人の参加〕 第十二條の規定は、調停手続にこれを準用する。
第二一條〔調停の成立・効力〕① 調停において当事者間に合意が成立し、これを調書に記載したときは、調停が成立したものとし、その記載は、確定判決と同一の効力を有する。但し、第九條第一項乙類に掲げる事項については、確定した審判と同一の効力を有する。
② 前項の規定は、第二十三條に掲げる事件については、これを適用しない。
第二二條〔調停委員会の組織〕① 調停委員会の組織は、家事審判官一人及び調停委員二人以上とする。
② 調停委員は、左の者の中から、家事審判官が各事件についてこれを指定する。
一 家庭裁判所が毎年前もつて選任する者
二 當事者が合意で定める者
③ 家事審判官は、事件の處理上必要と認めるときは、前項に掲げる者以外の者を調停委員に指定することができる。
第二三條〔合意に相當する審判〕① 婚姻又は養子緣組の無効又は取消に関する事件の調停委員会の調停において、当事者間に合意が成立し無効又は取消の原因の有無について爭がない場合には、家庭裁判所は、必要な事実を調査した上、調停委員の意見を聴き、正当と認めるときは、婚姻又は緣組の無効又は取消に関し、当該合意に相當する審判をすることができる。
② 前項の規定は、協議上の離婚若しくは離緣の無効若しくは取消、認知、認知の無効若しくは取消、民法第七百七十三條の規定により父を定めること、嫡出子の否認又は身分関係の存否の確定に関する事件の調停委員会の調停にこれを準用する。
第二四條〔調停に代る審判〕① 家庭裁判所は、調停委員会の調停が成立しない場合において相当と認めるときは、調停委員の意見を聴き、当事者双方のため衡平に考慮し、一切の事情を観て、職権で、当事者

双方の申立の趣旨に反しない限度で、事件の解決のため離婚、離縁その他必要な審判をすることができる。この審判においては、金銭の支拂その他財産上の給付を命ずることができる。

② 前項の規定は、第九條第一項乙類に規定する審判事件の調停については、これを適用しない。

第二五條〔異議の申立〕① 第二十三條又は前條第一項の規定による審判に対しては、最高裁判所の定めるところにより、家庭裁判所に対し異議の申立をすることができる。その期間は、これを二週間とする。

② 前項の期間内に異議の申立があつたときは、同項の審判は、その効力を失う。

③ 第一項の期間内に異議の申立がないときは、同項の審判は、確定判決と同一の効力を有する。

第二六條〔調停不成立の場合の取扱〕① 第九條第一項乙類に規定する審判事件について調停が成立しない場合には、調停の申立の時に、審判の申立があつたものとみなす。

② 第十七條の規定により調停を行うことができる事件について調停が成立せず、且つ、その事件について第二十三條若しくは第二十四條第一項の規定による審判をせず、又は前條第二項の規定により審判が効力を失つた場合において、当事者がその旨の通知を受けた日から二週間以内に訴を提起したときは、調停の申立の時に、その訴の提起があつたものとみなす。

第四章 罰則

第二七條〔不出頭に対する過料〕 家庭裁判所又は調停委員会の呼出を受けた事件の関係人が正当な事由がなく出頭しないときは、家庭裁判所は、これを三千円以下の過料に処する。

第二八條〔不服従に対する過料〕 調停委員会又は家庭裁判所により調停前の措置として必要な事項を命ぜられた当事者又は參加人が正当な事由がなくその措置に従わないときは、家庭裁判所は、これを五千円以下の過料に処する。

第二九條〔過料の審判の執行〕① 前二條の過料の審判は、家事審判官の命令でこれを執行する。この命令は、執行力のある債務名義と同一の効力を有する。

② 過料の審判の執行は、民事訴訟に関する法令の規定に従つてこれをする。但し、執行前に審判の送達

をすることを要しない。

③　非訟事件手続法第二百七条及び第二百八条ノ二中検察官に関する規定は、第一項の過料の審判にはこれを適用しない。

第三〇條〔評議の秘密を漏らす罪〕①　調停委員又は調停委員であつた者が正当な事由がなく評議の経過又は家事審判官若しくは調停委員の意見若しくはその多少の数を漏らしたときは、五千円以下の罰金に処する。

②　参与員又は参与員であつた者が正当な事由がなく家事審判官又は参与員の意見を漏らしたときも、前項と同様である。

第三一條〔人の秘密を漏らす罪〕　参与員、調停委員又はこれらの職に在つた者が正当な事由がなくその職務上取り扱つたことについて知り得た人の秘密を漏らしたときは、六箇月以下の懲役又は一万円以下の罰金に処する。

附　則（抄）

②　この法律の規定の適用に関しては、この法律と同日に施行される民法の一部を改正する法律の附則（以下新民法附則という。）第十條の規定による財産の分与に関する処分、新民法附則第十四條第二項又は第三項の規定による親権者の指定又は変更、新民法附則第二十四條の規定による扶養に関してされた判決の変更又は取消、新民法附則第二十七條第二項（新民法附則第二十五條第二項但書、第二十六條第二項及び第二十八條において準用する場合を含む。）の規定による財産の分配に関する処分及び新民法附則第三十二條の規定による遺産の分割に関する処分は、これを第九條第一項乙類に掲げる事項とみなし、新民法附則第三十三條の規定による遺言の確認は、これを第九條第一項甲類に掲げる事項とみなす。

家事審判規則（昭和二二・一二・二九 最高裁規一五）

施行　昭和二三・一・一（附則）

改正　昭和二三最高裁規三八、昭和二四最高裁規一二、昭和二五最高裁規一四、昭和二六最高裁規四・最高裁規一〇

第一章　総　則

第一條〔目的〕　家庭裁判所の審判及び調停に関しては、家事審判法（以下法という。）に定めるものの外、こ

の規則の定めるところによる。

第二條〔申立〕 申立をするには、その趣旨及び事件の実情を明かにし、証拠書類がある場合には、同時に、その原本又は謄本を差し出さなければならない。

第三條〔申立・申述の方式〕① 申立その他の申述は、書面又は口頭でこれをすることができる。

② 口頭で申述をするには、家庭裁判所の書記官の面前で陳述しなければならない。この場合には、書記官は、調書を作らなければならない。

第四條〔移送〕① 家庭裁判所は、その管轄に属しない事件について申立を受けた場合には、これを管轄家庭裁判所に移送しなければならない。但し、事件を処理するために特に必要があると認めるときは、これを他の家庭裁判所に移送し、又はみずから処理することができる。

② 家庭裁判所は、その管轄に属する事件について申立を受けた場合においても、事件を処理するために適当であると認めるときは、これを他の家庭裁判所に移送することができる。

第四條の二〔移送の裁判に対する即時抗告〕 前條の規定による移送の審判に対しては、当事者は、即時抗告をすることができる。

第五條〔本人出頭〕① 事件の関係人は、自身出頭しなければならない。但し、やむを得ない事由があるときは、代理人を出頭させ、又は補佐人とともに出頭することができる。

② 弁護士でない者が前項の代理人又は補佐人となるには、家庭裁判所の許可を受けなければならない。

③ 家庭裁判所は、何時でも、前項の許可を取り消すことができる。

第六條〔非公開〕 家庭裁判所の手続は、これを公開しない。但し、家庭裁判所は、相当と認める者の傍聽を許すことができる。

第七條〔職権探知〕① 家庭裁判所は、職権で、事実の調査及び必要があると認める証拠調をしなければならない。

② 家庭裁判所は、他の家庭裁判所又は簡易裁判所に事実の調査又は証拠調を嘱託することができる。

③ 証拠調については、民事訴訟の例による。

第七條の二〔家事調査官による調査〕 家庭裁判所は、家事調査官に事実の調査をさせることができる。

第八條〔調査の嘱託・報告の請求〕 家庭裁判所は、必要な調査を官廳、公署その他適当であると認める者に囑託し、又は銀行、信託会社、関係人の雇主その他の者に対し関係人の預金、信託財産、収入その他の事項に関して必要な報告を求めることができる。

第九條〔証人等の旅費・日当・止宿料等〕　証人、鑑定人、通事及び前條の規定により、調査の囑託を受け、又は報告を求められた者には、別に定める旅費、日当、止宿料その他の費用を支給する。

第一〇條〔調書〕　家庭裁判所の書記官は、家庭裁判所の手続について、調書を作らなければならない。但し、家事審判官においてその必要がないと認めるときは、この限りでない。

第一一條〔費用〕　事実の調査、証拠調、呼出、告知その他必要な処分の費用は、国庫においてこれを立て替える。但し、家庭裁判所は、費用を要する行爲につき当事者にその費用を予納させることができる。

第一二條〔記録の閲覧・証明書の交付〕①　家庭裁判所は、事件の関係人の申立により、これを相当であると認めるときは、記録の閲覧若しくは謄写を許可し、又は家庭裁判所の書記官をして記録の正本、謄本、抄本若しくは事件に関する証明書を交付させることができる。

②　前項の規定によつて、事件の終了した後に記録の閲覧若しくは謄写をし、又は書類の交付を受けるには、別に定める手数料を納めなければならない。

第一三條〔過料審判に対する即時抗告〕　過料の審判を受けた者は、その審判に対し即時抗告をすることができる。

第二章　審　判

第一節　総　則

第一四條〔利害関係人の参加〕　審判の結果について利害関係を有する者は、家庭裁判所の許可を受けて、審判手続に参加することができる。

第一五條〔手続の受継〕①　申立人が死亡、資格の喪失その他の事由によつて手続を続行することができない場合には、法令によりその申立をする資格のある者は、手続の受継を申し立てることができる。

②　家庭裁判所は、前項の場合において必要があると認めるときは、その申立をする資格のある者に手続を受継させることができる。

第一六條〔審判書〕　審判をするには、特別の定のある場合を除いては、審判書を作り、主文及び理由の要旨を記載し、家事審判官が、これに署名押印しなければならない。但し、即時抗告をすることができない審判については、申立書又は調書に審判の主文を記載し、家事審判官がこれに署名押印して、審判書に代えることができる。

第一七條〔即時抗告期間〕　即時抗告の期間は、即時抗告をすることができる者が、審判の告知を受けたときは告知を受けた日から、告知を受けないときは事件の申立人が告知を受けた日から、これを起算する。但し、特別の定のあるときは、この限りでない。

第一八條〔即時抗告手続〕　即時抗告については、その性質に反しない限り、審判に関する規定を準用する。

第一九條〔取消差戻、取消自判〕①　高等裁判所は、即時抗告が理由があるものと認めるときは、審判を取り消して、事件を家庭裁判所に差し戻さなければならない。

②　高等裁判所は、相当であると認めるときは、前項の規定にかかわらず、審判を取り消して、みずから事件につき審判に代わる裁判をすることができる。

第二〇條〔審判の中止〕　審判手続中の事件について、調停の申立があつたとき、又は法第十一條の規定により事件が調停に付されたときは、家庭裁判所は、調停が終了するまで審判手続を中止することができる。

第二一條〔公告方法〕　公告は、家庭裁判所の掲示板に掲示し、且つ、官報に掲載してこれをする。但し、家庭裁判所が相当であると認めるときは、日刊新聞紙にも掲載してこれをする。

第二節　禁治產及び準禁治產

第二二條〔管轄〕　禁治產に關する審判事件は、事件本人の住所地の家庭裁判所の管轄とする。

第二三條〔本人監護・財產管理の処分〕①　禁治產の宣告の申立があつたときは、家庭裁判所は、本人の監護又はその財產の管理について、臨時に、必要な処分をすることができる。

②　家庭裁判所は、相当であると認めるときは、前項の処分を取り消し、又は変更することができる。

第二四條〔心神の状況の鑑定〕　家庭裁判所は、禁治產を宣告するには、本人の心神の狀況について、必ず、医師その他適当な者に鑑定をさせなければならない。

第二五條〔後見人の選任〕　禁治産を宣告する場合において、法律により後見人となる者がないときは、家庭裁判所は、申立によつて、同時に、後見人を選任しなければならない。

第二六條〔禁治産宣告の告知〕　禁治産を宣告する審判は、法律により後見人となるべき者又は前條の規定により後見人に選任される者にこれを告知しなければならない。

第二七條〔即時抗告〕①　民法第七條に掲げる者は、前條の審判に対し即時抗告をすることができる。この場合には、即時抗告の期間は、同條の告知があつた時からこれを起算する。

②　申立人は、禁治産の宣告の申立を却下する審判に対し即時抗告をすることができる。

第二八條〔禁治産宣告の公告・通知〕　禁治産を宣告する審判が確定したときは、家庭裁判所は、遲滯なく、その旨を公告し、且つ、禁治産者の本籍地の戸籍事務を管掌する者に対しその旨を通知しなければならない。

第二九條〔禁治産宣告の取消〕①　第二十四條及び前條の規定は、禁治産の宣告の取消にこれを準用する。

②　民法第七條に掲げる者は、禁治産の宣告の取消の申立を却下する審判に対し即時抗告をすることができる。

第三〇條〔準禁治産事件〕　第二十二條乃至前條の規定は、準禁治産に関する審判事件にこれを準用する。但し、第二十四條の規定は、浪費者については、これを準用しない。

第三節　不在者の財産管理

第三一條〔管轄〕　不在者の財産の管理に関する審判事件は、その住所地の家庭裁判所の管轄とする。

第三二條〔管理人の改任、辞任、新任〕①　家庭裁判所は、何時でも、その選任した管理人を改任することができる。

②　家庭裁判所が選任した管理人は、その任務を辞しようとするときは、家庭裁判所にその旨を届け出なければならない。

③　前項の届出があつた場合には、家庭裁判所は、更

に管理人を選任しなければならない。

第三三條〔財産の状況報告・管理の計算〕① 家庭裁判所は、その選任した管理人に対し財産の状況の報告及び管理の計算を命ずることができる。

② 民法第二十七條第二項の場合には、家庭裁判所は、不在者が置いた管理人に対しても前項の報告及び計算を命ずることができる。

③ 前二項の報告及び計算に要する費用は、不在者の財産の中からこれを支弁する。

第三四條〔担保の増減・変更・免除〕 家庭裁判所は、管理人に対しその供した担保の増減、変更又は免除を命ずることができる。

第三五條〔抵当権設定登記の囑託〕① 家庭裁判所は、管理人の不動産又は船舶の上に抵当権の設定を命ずるときは、その設定の登記を囑託しなければならない。

② 前項の囑託には、抵当権の設定を命ずる審判書の謄本を添附しなければならない。

③ 前二項の規定は、設定した抵当権の変更又は消滅の登記にこれを準用する。

第三六條〔財産目錄〕① 管理人は、民法第二十七條第一項又は第二項の規定により財産目錄を調製する場合には、二通を作成し、その一通を家庭裁判所に差し出さなければならない。

② 家庭裁判所は、前項の財産目錄が不充分であると認めるときは、管理人に対し公証人に財産目錄を作らせることを命ずることができる。

第三七條〔処分の取消〕 本人がみずから財産を管理することができるようになつたとき、又はその死亡が分明となり、若しくは失踪の宣告があつたときは、家庭裁判所は、本人又は利害関係人の申立によつて、その命じた処分を取り消さなければならない。

第四節　失　踪

第三八條〔管轄〕 失踪に関する審判事件は、不在者の住所地の家庭裁判所の管轄とする。

第三九條〔公示催告〕 失踪を宣告するには、公示催告の手続を経なければならない。

第四〇條〔公示催告の内容〕① 公示催告には、左の事項を掲げなければならない。

一　申立人の氏名及び住所

二　不在者の氏名、住所及び出生の年月日

三　不在者は、公示催告期日までにその生存の届出をすべく、若しその届出をしないときは、失踪の宣告を受くべき旨

四　不在者の生死を知る者は、公示催告期日までにその届出をすべき旨

五　公示催告期日

② 公示催告期間は、六箇月以上でなければならない。

第四一條〔公示催告の公示〕　公示催告の公示は、公告の方法でこれをする。

第四二條〔即時抗告〕① 本人又は利害関係人は、失踪を宣告する審判に対し即時抗告をすることができる。この場合には、即時抗告の期間は、申立人が審判の告知を受けた日からこれを起算する。

② 第二十七條第二項の規定は、失踪の宣告の申立を却下する審判にこれを準用する。

第四三條〔失踪宣告取消〕① 利害関係人は、失踪の宣告を取り消す審判に対し即時抗告をすることができる。この場合には、前條第一項後段の規定を準用する。

② 本人又は利害関係人は、失踪の宣告の取消の申立を却下する審判に対し即時抗告をすることができる。

第四四條〔公告・通知〕　第二十八條の規定は、失踪を宣告する審判及び失踪の宣告を取り消す審判にこれを準用する。

第五節　婚姻関係

第四五條〔夫婦同居事件の管轄〕　夫婦の同居その他の夫婦間の協力扶助に関する審判事件は、相手方の住所地の家庭裁判所の管轄とする。

第四六條〔準用規定〕　第九十五條乃至第九十八條の規定は、前項の審判事件にこれを準用する。

第四七條〔財産管理者変更事件の管轄〕　第四十五條の規定は、夫婦財産契約による管理者の変更に関する審判事件にこれを準用する。

第四八條〔共有財産の分割〕① 前條の管理者の変更に附帯して共有財産の分割を許可する場合には、家庭裁判所は、申立によつて、分割の処分をすることができる。

② 家庭裁判所が分割を許可した場合において、分割の協議が調わないときも、前項と同様である。

③ 第百四條乃至第百九條の規定は、前二項の場合にこれを準用する。

第四九條〔財産管理者変更事件の審判〕　財産の管理者の変更又は共有財産の分割の処分に関する審判においては、金銭の支拂、物の引渡、登記義務の履行その他の給付を命ずることができる。

第五〇條〔夫又は妻の即時抗告〕　夫又は妻は、財産の管理者の変更、共有財産の分割の許可又は分割の処分に関する審判に対し即時抗告をすることができる。

第五一條〔婚姻費用分担事件〕　第四十五條及び前二條の規定は、婚姻から生ずる費用の分担に関する審判事件にこれを準用する。

第五二條〔婚姻取消・離婚の場合の子の監護事件の管轄〕①　婚姻の取消又は離婚の場合における子の監護者の指定その他子の監護に関する審判事件は、子の住所地の家庭裁判所の管轄とする。

②　数人の子についての前項の審判の申立は、同項の規定にかかわらず、その一人の子の住所地の家庭裁判所にこれをすることができる。

第五三條〔子の監護事件の審判〕　家庭裁判所は、子の監護者の指定その他子の監護について必要な事項を定め、又は子の監護者を変更し、その他子の監護について相当な処分を命ずる審判においては、子の引渡又は扶養料その他の財産上の給付を命ずることができる。

第五四條〔子の陳述の聽取〕　子が満十五歳以上であるときは、家庭裁判所は、子の監護者の指定その他子の監護に関する審判をする前に、その子の陳述を聽かなければならない。

第五五條〔父又は母の即時抗告〕　父又は母は、前條の審判に対し即時抗告をすることができる。

第五六條〔財産分與事件〕　第四十五條、第四十九條及び第五十條の規定は、婚姻の取消又は離婚の場合における財産の分與に関する審判事件にこれを準用する。

第五六條の二〔保全処分〕①　財産の分與に関する審判の申立があつたときは、家庭裁判所は、分與すべき者の財産の保全について、臨時に、必要な処分をすることができる。

②　家庭裁判所は、何時でも、前項の処分を取り消し、又は変更することができる。

第五七條〔婚姻関係消滅の場合の系譜・祭具・墳墓承継者指定事件の管轄〕　婚姻の取消、離婚、生存配

偶者の復氏又は生存配偶者の意思表示による姻族関係の終了の場合における系譜、祭具及び墳墓の所有権の承継者の指定に関する審判事件は、その所有権者の住所地の家庭裁判所の管轄とする。

第五八條〔同右の審判〕　家庭裁判所は、前條の所有権の承継者を指定する審判においては、系譜、祭具又は墳墓の引渡を命ずることができる。

第五九條〔即時抗告〕　当事者又は利害関係人は、第五十七條の所有権の承継者の指定に関する審判に対し即時抗告をすることができる。

第六節　親子関係

第六〇條〔否認の訴についての特別代理人選任事件の管轄〕　子の否認の訴についての特別代理人の選任に関する審判事件は、子の住所地の家庭裁判所の管轄とする。

第六一條〔認知の場合の子の監護事件〕　第五十二條第二項、第五十三條乃至第五十五條及び前條の規定は、子の認知の場合における子の監護者の指定その他子の監護に関する審判事件にこれを準用する。

第六二條〔子の氏の変更事件〕　第二十七條第二項、第五十二條第二項及び第六十條の規定は、子の氏の変更についての許可に関する審判事件にこれを準用する。

第六三條〔養子事件の管轄〕　養子をするについての許可に関する審判事件は、養子となるべき者の住所地の家庭裁判所の管轄とする。

第六四條〔離縁事件の管轄〕　離縁をするについての許可に関する審判事件は、養子の住所地の家庭裁判所の管轄とする。

第六五條〔子の懲戒事件〕　第六十條の規定は、子の懲戒に関する許可その他の処分に関する審判事件にこれを準用する。

第六六條〔子の懲戒に関する許可・処分についての指示〕①　家庭裁判所は、子の懲戒に関する許可その他の処分をする場合には、親権者に対し相当であると認める事項を指示することができる。

②　家庭裁判所は、子の利益のため必要があると認めるときは、何時でも、前項の許可その他の処分を取り消し、又は変更することができる。

第六七條〔利益相反行為の特別代理人選任事件〕　第六十條の規定は、親権を行う者と子と利益が相反する行爲についての特別代理人の選任に関する審判事件にこれを準用する。

第六八條〔第三者が子に與えた財産管理事件〕　第三十二條乃至第三十七條、第五十二條第二項及び第六十條の規定は、第三者が子に與えた財産の管理者の選任その他の管理に関する審判事件にこれを準用する。

第六九條〔養子関係消滅の場合の系譜・祭具・墳墓承継者指定事件〕　第五十七條乃至第五十九條の規定は、縁組の取消又は離縁の場合における系譜、祭具及び墳墓の所有権の承継者の指定に関する審判事件にこれを準用する。

第七〇條〔親權者指定事件〕　第五十二條第二項、第五十三條乃至第五十五條及び第六十條の規定は、親權者の指定に関する審判事件にこれを準用する。

第七一條〔戸籍管掌者への通知〕　親權者を指定する審判が確定したときは、家庭裁判所は、遲滞なく子の本籍地の戸籍事務を管掌する者に對しその旨を通知しなければならない。

第七二條〔親權者變更事件〕①　第二十七條第二項、第五十二條第二項、第五十三條、第五十四條、第六十條及び前條の規定は、親權者の變更に関する審判事件にこれを準用する。

②　親權を行う者は、親權者を變更する審判に對し即時抗告をすることができる。

第七三條〔親權・管理權喪失宣告事件の管轄〕　親權又は管理權の喪失の宣告に関する審判事件は、事件本人の住所地の家庭裁判所の管轄とする。

第七四條〔本人の職務執行停止・代行者の選任〕①　家庭裁判所は、親權又は管理權の喪失の宣告の申立があつた場合において、子の利益のため必要があると認めるときは、申立によつて、本人の職務の執行を停止し、又はこれを代行する者を選任することができる。

②　家庭裁判所は、何時でも、前項の処分を取り消し、又は變更することができる。

③　家庭裁判所は、相当であると認めるときは、前二項の審判をする前に、申立人に對し、本人又は子のために担保を供與すべきことを命ずることができる。

④　前項の担保については、民事訴訟の例による。

第七五條〔職務代行者の報酬〕　家庭裁判所は、前條第

一項の規定により選任した職務代行者に対し、子の財産の中から、相当な報酬を与えることができる。

第七六條〔本人の陳述〕　家庭裁判所は、親権又は管理権の喪失を宣告するには、本人の陳述を聴かなければならない。

第七七條〔失権宣告に対する即時抗告〕①　親権又は管理権の喪失の宣告を受けた者又はその親族は、その審判に対し即時抗告をすることができる。この場合には、即時抗告の期間は、本人が審判の告知を受けた日からこれを起算する。

②　申立人又は子の親族は、親権又は管理権の喪失の宣告の申立を却下する審判に対し即時抗告をすることができる。

第七八條〔戸籍管掌者への通知〕　第七十一條の規定は、第七十四條第一項若しくは第二項の規定による審判又は親権若しくは管理権の喪失を宣告する審判にこれを準用する。

第七九條〔失権宣告取消事件〕　第七十三條、第七十六條及び前條の規定は、失権の宣告の取消に関する審判事件にこれを準用する。

第八〇條〔失権宣告取消に対する即時抗告〕①　子の親族は、失権の宣告を取り消す審判に対し即時抗告をすることができる。この場合には、第七十七條第一項後段の規定を準用する。

②　本人又はその親族は、失権の宣告の取消の申立を却下する審判に対し即時抗告をすることができる。

第八一條〔親権・管理権の辞退・回復事件〕　第七十三條の規定は、親権又は管理権を辞し、又は回復するについての許可に関する審判事件にこれを準用する。

第七節　後見及び保佐

第八二條〔後見事件の管轄〕　後見に関する審判事件は、特別の定のある場合を除いては、被後見人の住所地の家庭裁判所の管轄とする。

第八三條〔後見人候補者の意見聴取〕　家庭裁判所は、後見人を選任するには、後見人となるべき者の意見を聴かなければならない。

第八四條〔後見人に対する指示〕　家庭裁判所は、後見人を選任する場合には、後見人に対し被後見人の療養看護、その財産の管理その他の後見の事務に関し相当であると認める事項を指示することができる。

第八五条〔戸籍管掌者への通知〕　第七十一条の規定は、後見人を選任する審判又は後見人の辞任を許可する審判にこれを準用する。

第八六条〔後見人の解任事件〕　第七十一条及び第七十三条乃至第七十六条の規定は、後見人の解任に関する審判事件にこれを準用する。

第八七条〔解任に対する即時抗告〕①　後見人、後見監督人又は被後見人の親族は、後見人を解任する審判に対し即時抗告をすることができる。この場合には、即時抗告の期間は、後見人が審判の告知を受けた日からこれを起算する。

②　後見監督人又は被後見人の親族は、後見人の解任の申立を却下する審判に対し即時抗告をすることができる。

第八八条〔療養看護に関する指示〕①　家庭裁判所は、禁治産者の入院等の許可をする場合には、後見人に対し禁治産者の療養看護に関し相当であると認める事項を指示することができる。

②　家庭裁判所は、必要があると認めるときは、何時でも、前項の許可を取り消し、又は変更することができる。

第八九条〔後見の監督、報酬〕①　家庭裁判所は、適当な者に、後見の事務若しくは被後見人の財産の状況を調査させ、又は臨時に財産の管理をさせることができる。

②　家庭裁判所は、前項の規定により調査又は管理をした者に対し、被後見人の財産の中から、相当な報酬を与えることができる。

第九〇条〔準用規定〕　第三十二条乃至第三十七条及び第五十二条第二項の規定は、第三者が被後見人に与えた財産の管理者の選任その他の管理に関する処分に、第六十六条の規定は、被後見人の懲戒に関する許可その他の処分にこれを準用する。

第九一条〔親権代行関係事件〕　第六十条及び前二条の規定は、後見人が未成年者に代わつて行う親権に関する審判事件にこれを準用する。

第九二条〔後見監督人事件〕　第八十三条乃至第八十七条の規定は、後見監督人に関する審判にこれを準用する。

第九三条〔保佐関係事件〕　第八十二条の規定は、保佐に関する審判事件に、第八十三条乃至第八十七条の規定は、保佐人に関する審判にこれを準用する。

第八節　扶　養

第九四条〔管轄〕①　扶養に関する審判事件は、相手方の住所地の家庭裁判所の管轄とする。

②　数人を相手方とする場合には、前項の審判の申立は、同項の規定にかかわらず、その一人の住所地の家庭裁判所にこれをすることができる。

第九五条〔被扶養者のための処分〕①　扶養に関する審判の申立があつたときは、家庭裁判所は、扶養を受くべき者の生活又は教育について、臨時に、必要な処分をすることができる。

②　家庭裁判所は、相当であると認めるときは、何時でも、前項の処分を取り消し、又は変更することができる。

第九六条〔扶養の程度・方法の決定・指示〕　家庭裁判所は、扶養の程度若しくは方法を定め、又はこれを変更する場合には、必要な事項を指示することができる。

第九七条〔即時抗告〕　当事者又は利害関係人は、扶養に関する審判に対し即時抗告をすることができる。

第九八条〔給付命令〕　第四十九条の規定は、扶養に関する審判にこれを準用する。

第九節　相　続

第九九条〔管轄〕　相続に関する審判事件は、被相続人の住所地又は相続開始地の家庭裁判所の管轄とする。

第一〇〇条〔廃除審判に対する即時抗告〕①　推定相続人は、廃除の審判に対し即時抗告をすることができる。

②　第二十七条第二項の規定は、廃除又はその取消の申立を却下する審判にこれを準用する。

第一〇一条〔廃除又はその取消の確定の通知〕　廃除又はその取消の審判が確定したときは、家庭裁判所は、遅滞なく廃除された者の本籍地の戸籍事務を管掌する者に対しその旨を通知しなければならない。

第一〇二条〔遺産管理処分〕　第三十二条乃至第三十七条の規定は、民法第八百九十五条の規定による遺産の管理に関する処分にこれを準用する。

第一〇三条〔相続の場合の系譜・祭具・墳墓承継者指定事件〕　第五十八条及び第五十九条の規定は、相続の場合における系譜、祭具及び墳墓の所有権の承継者の指定に関する審判にこれを準用する。

第一〇四條〔遺産分割申立方法〕　遺産の分割の申立をするには、共同相続人及び利害関係人を示し、且つ、遺産の目録を差し出さなければならない。

第一〇五條〔遺産分割申立の公告〕①　家庭裁判所は、遺産の分割の申立があつた場合において相当であると認めるときは、分割の申立があつたことを公告して、利害関係人の参加を求めることができる。

②　前項の公告をしたときは、家庭裁判所は、公告の日から三十日を経過しなければ分割の手続を進めることができない。但し、急を要する事項の実施を妨げない。

③　第一項の公告は、第二十一條の規定にかかわらず、相当であると認める方法でこれをすることができる。

第一〇六條〔遺産管理者の選任〕①　遺産の分割の申立があつたときは、家庭裁判所は、遺産の管理について管理者の選任その他の必要な処分をすることができる。

②　家庭裁判所は、相当であると認めるときは、前項の処分を取り消し、又は変更することができる。

第一〇七條〔遺産の換價〕　家庭裁判所は、遺産の分割のために必要があると認めるときは、適当な者に遺産の全部又は一部について換價その他の必要な処分をさせることができる。

第一〇八條〔報酬〕　第八十九條第二項の規定は、前二條の場合にこれを準用する。

第一〇九條〔債務負担による遺産分割〕　家庭裁判所は、特別の事由があると認めるときは、遺産の分割の方法として、共同相続人の一人又は数人に他の共同相続人に対し債務を負担させて、現物をもつてする分割に代えることができる。

第一一〇條〔給付命令〕　第四十九條の規定は、遺産の分割の審判にこれを準用する。

第一一一條〔即時抗告〕　相続人又は利害関係人は、遺産の分割の審判、遺産の分割禁止の審判及び遺産の分割の申立を却下する審判に対し即時抗告をすることができる。

第一一二條〔事情変更による分割禁止の取消・変更〕

①　家庭裁判所は、事情の変更があると認めるときは、相続人の申立によつて、何時でも、遺産の分割禁止の審判を取り消し、又は変更することができる。

② 前條の規定は、前項の規定による審判にこれを準用する。

第一一三條〔相続の承認放棄期間伸長却下に対する即時抗告〕　第百十一條の規定は、相続の承認又は放棄の期間の伸長の申立を却下する審判にこれを準用する。

第一一四條〔相続の限定承認・放棄申述書〕① 相続の限定承認又は放棄の申述をするには、家庭裁判所に申述書を差し出さなければならない。

② 申述書には、左の事項を記載し、申述者又は代理人がこれに署名押印しなければならない。

一　申述者の氏名及び住所

二　被相続人の氏名及び最後の住所

三　相続の開始があつたことを知つた年月日

四　相続の限定承認又は放棄をする旨

第一一五條〔申述書の受理〕① 家庭裁判所は、前條第一項の申述を受理するときは、申述書にその旨を記載しなければならない。

② 第百十一條の規定は、前條第一項の申述を却下する審判にこれを準用する。

第一一六條〔限定承認と相続財産管理人の選任〕　数人の相続人の全員が限定承認をした場合における相続財産の管理人の選任は、家庭裁判所が、限定承認の申述を受理したとき、職権で、これをする。

第一一七條〔相続財産分離と即時抗告〕① 相続人は、相続財産の分離を命ずる審判に対し即時抗告をすることができる。

② 相続債権者、受遺者又は相続人の債権者は、相続財産の分離の申立を却下する審判に対し即時抗告をすることができる。

第一一八條〔相続財産の保存管理処分〕　第三十二條乃至第三十七條の規定は、民法第九百十八條第二項及び第三項（同法第九百二十六條第二項、第九百三十六條第三項及び第九百四十條第二項において準用する場合を含む。）、第九百四十三條（同法第九百五十條第二項において準用する場合を含む。）又は第九百五十二條及び第九百五十三條の規定による相続財産の保存又は管理に関する処分にこれを準用する。

第一一九條〔公告の内容〕① 民法第九百五十二條第二項の公告には、左の事項を掲げなければならない。

一　申立人の氏名及び住所

二　被相続人の氏名、職業及び最後の住所

三　被相続人の出生及び死亡の場所及び年月日
四　管理人の氏名及び住所
② 民法第九百五十八條の公告には、前項第一号乃至第三号の事項を掲げ、且つ、公告において、相続人は一定の期間内にその権利を申し出るように催告しなければならない。

第十節　遺　言

第一二〇條〔管轄〕① 遺言に関する審判事件は、相続開始地の家庭裁判所の管轄とする。
② 遺言の確認の申立は、前項の規定による外、遺言者の住所地の家庭裁判所にもこれをすることができる。
第一二一條〔即時抗告〕① 利害関係人は、遺言の確認の審判に対し即時抗告をすることができる。
② 遺言に立ち会つた証人又は利害関係人は、遺言の確認の申立を却下する審判に対し即時抗告をすることができる。
第一二二條〔遺言書の検認〕 家庭裁判所は、遺言書の検認をするには、遺言の方式に関する一切の事実を調査しなければならない。
第一二三條〔遺言書検認調書〕 遺言書の検認については、調書を作り、左の事項を記載しなければならない。
一　申立人の氏名及び住所
二　検認の年月日
三　相続人その他の利害関係人を立ち会わせたときは、その氏名及び住所
四　相続人その他の利害関係人、証人又は鑑定人を尋問したときは、その氏名、住所及び陳述の要旨
五　事実の調査の結果
第一二四條〔遺言書検認の通知〕 家庭裁判所は、遺言書の検認をしたときは、これに立ち会わなかつた申立人、相続人、受遺者その他の利害関係人に対しその旨を通知しなければならない。
第一二五條〔遺言執行者候補者の意見聴取〕 第八十三條の規定は、遺言執行者の選任にこれを準用する。
第一二六條〔遺言執行者の解任〕① 第七十四條乃至第七十六條の規定は、遺言執行者の解任にこれを準用する。
② 遺言執行者は、遺言執行者の解任の審判に対し即時抗告をすることができる。

第一二七條〔遺言執行者の選任・解任・辞任と即時抗告〕① 利害関係人は、遺言執行者の選任又は解任の申立を却下する審判に対し即時抗告をすることができる。

② 遺言執行者は、その辞任の許可の申立を却下する審判に対し即時抗告をすることができる。

第一二八條〔遺言の取消と即時抗告〕① 受遺者その他の利害関係人は、遺言の取消の審判に対し即時抗告をすることができる。

② 相続人は、遺言の取消の申立を却下する審判に対し即時抗告をすることができる。

第三章　調　停

第一二九條〔管轄〕 調停事件は、相手方の住所地の家庭裁判所又は当事者が合意で定める家庭裁判所の管轄とする。

第一二九條の二〔移送〕① 家庭裁判所は、法第十七條の規定により調停を行うことができる事件以外の事件について調停の申立を受けた場合には、これを管轄権のある地方裁判所又は簡易裁判所に移送しなければならない。但し、事件を処理するために特に必要があると認めるときは、土地管轄の規定にかかわらず、事件の全部又は一部を他の管轄裁判所に移送することができる。

② 家庭裁判所は、その管轄に属する事件について調停の申立を受けた場合においても、事件を処理するために必要があると認めるときは、土地管轄の規定にかかわらず、事件の全部又は一部を管轄権のある地方裁判所又は簡易裁判所に移送することができる。

③ 第四條の二の規定は、前二項の規定による移送の審判に準用する。

第一三〇條〔調停と訴訟手続の中止〕 調停の申立があつた事件について訴訟が係属しているとき、又は法第十八條第二項若しくは第十九條の規定により事件が調停に付されたときは、調停が終了するまで訴訟手続を中止することができる。

第一三一條〔利害関係人の参加・手続の受継〕 第十四條及び第十五條の規定は、調停手続にこれを準用する。

第一三二條〔裁判所外での調停〕 調停委員会は、事件の実情によつて、家庭裁判所外の適当な場所で調停をすることができる。

第一三三條〔調停前の処分〕① 調停委員会は、調停前に、調停のために必要であると認める処分を命ずることができる。

② 前項の処分は、執行力を有しない。

③ 調停委員会は、第一項の処分をする場合には、同時に、その違反に対する法律上の制裁を告知しなければならない。

第一三四條〔調停委員会の手続の指揮〕 調停委員会における調停手続は、家事審判官がこれを指揮する。

第一三五條〔調停委員会の決議〕 調停委員会の決議は、過半数の意見による。可否同数の場合には、家事審判官の決するところによる。

第一三六條〔評議の秘密〕 調停委員会の評議は、これを秘密とする。

第一三七條〔調停委員会の権限〕 調停委員会が調停を行う場合には、第五條第二項及び第三項、第六條但書、第七條並びに第八條に規定する家庭裁判所の権限は、調停委員会に属する。

第一三七條の二〔事実調査・証拠調〕① 調停委員会を組織する家事審判官は、調停委員会の決議により、事実の調査及び証拠調をすることができる。

② 第七條の二の規定は、前項の規定により家事審判官が事実の調査をする場合に準用する。

第一三八條〔調停をしない場合〕 調停委員会は、事件が性質上調停をするのに適当でないと認めるとき、又は当事者が不当な目的で濫りに調停の申立をしたと認めるときは、調停をしないことができる。

第一三八條の二〔調停の不成立〕 調停委員会は、当事者間に合意が成立する見込がない場合又は成立した合意が相当でないと認める場合において、家庭裁判所が法第二十四條第一項の審判をしないときは、調停が成立しないものとして、事件を終了させることができる。法第二十三條に定める事件の調停につき、当事者間に合意が成立した場合において、家庭裁判所が同條の審判をしないときも、同様である。

第一三八條の三〔費用の負担〕 法第二十一條第一項の規定により調停が成立した場合において、調停條項中に手続の費用に関する定をしないときは、各当事者は、その支出した費用をみずから負担するものとする。

第一三九條〔異議の申立〕① 法第二十三條の規定による審判に対しては、利害関係人が、法第二十四條第一項の規定による審判に対しては、当事者又は利害関係人が、異議の申立をすることができる。
② 異議の申立の期間は、当事者が審判の告知を受けた日からこれを起算する。

第一四〇条〔即時抗告〕　異議申立人は、異議の申立を却下する審判に対し即時抗告をすることができる。

第一四一条〔当事者に対する通知〕　第百三十八条又は第百三十八条の二の規定により事件が終了したとき、又は法第二十五条第二項の規定により審判が効力を失つたときは、家庭裁判所は、当事者に対し、遅滞なく、その旨を通知しなければならない。

第一四二条〔審判官の単独調停〕　第百三十二条、第百三十三条、第百三十八条、第百三十八条の二及び前条の規定は、家事審判官が一人で調停をする場合にこれを準用する。

第一四二条の二〔受訴裁判所に対する通知〕　法第十九条第二項の規定により訴の取下があつたものとみなされるときは、家庭裁判所は、受訴裁判所に対し、遅滞なく、その旨を通知しなければならない。

第一四三条〔戸籍事務管掌者に対する通知〕　離婚、離縁その他戸籍の届出又は訂正を必要とする事項について、調停が成立し、又は法第二十三条若しくは法第二十四条第一項の審判が確定したときは、家庭裁判所は、遅滞なく事件本人の本籍地の戸籍事務を管掌する者に対しその旨を通知しなければならない。

附　則（抄）

第一四五条〔準用規定〕　第五十六条の規定は、昭和二十二年法律第二百二十二号（民法の一部を改正する法律）の附則（以下新民法附則という。）第十条の規定による財産の分与に関する審判事件にこれを準用する。

第一四六条〔同前〕　第七十条及び第七十一条の規定は、新民法附則第十四条第二項の規定による親権者の指定に関する審判事件に、第七十二条の規定は、新民法附則第十四条第三項の規定による親権者の変更に関する審判事件にこれを準用する。

第一四七条〔同前〕　第九十四条乃至第九十八条の規定は、新民法附則第二十四条の規定による扶養に関してされた判決の変更又は取消に関する審判事件にこれを準用する。

第一四八条〔同前〕①　新民法附則第二十七条第二項（新民法附則第二十五条第二項但書、第二十六条第

二項及び第二十八條において準用する場合を含む。）の規定による財産の分配に關する審判事件は、相手方の住所地の家庭裁判所の管轄とする。

② 第四十九條及び第五十條の規定は、前項の財産の分配に關する審判にこれを準用する。

第一四九條〔同前〕　第九十九條、第百四條乃至第百十二條の規定は、新民法附則第三十二條の規定による遺産の分割に關する審判事件にこれを準用する。

第一五〇條〔同前〕　第百二十條及び第百二十一條の規定は、新民法附則第三十三條の規定による遺言の確認に關する審判事件にこれを準用する。

第一五一條〔人調法によつた行爲〕　家事審判法施行法第四條第一項の規定により家庭裁判所に係屬したものとみなされる人事調停事件においてこの規則施行前に同法による廢止前の人事調停法によつてした裁判所その他の者の行爲は、この規則の適用については、これをこの規則によつてした行爲とみなす。

第一五二條〔人訴法によつた行爲〕① 家事審判法施行法第十四條第一項（同法第十七條乃至第十九條において準用する場合を含む。）の規定により家庭裁判所に係屬したものとみなされる人事訴訟事件においてこの規則施行前に同法による改正前の人事訴訟手續法によつてした裁判所その他の者の行爲は、この規則の適用については、これをこの規則によつてした行爲とみなす。

② 前項の規定は、家事審判法施行法第十五條第一項（同法第十七條乃至第十九條において準用する場合を含む。）の規定により家庭裁判所の審判に對する即時抗告事件とみなされる即時抗告事件にこれを準用する。

第一五三條〔非訟法によつた行爲〕① 家事審判法施行法第二十三條第一項の規定により家庭裁判所に係屬したものとみなされる非訟事件においてこの規則施行前に同法による改正前の非訟事件手續法によつてした裁判所その他の者の行爲は、この規則の適用については、これをこの規則によつてした行爲とみなす。

② 前項の規定は、家事審判法施行法第二十四條第二項の規定により抗告裁判所が非訟事件を家庭裁判所に差し戻した場合にこれを準用する。

第一五四條〔不在者等の財産封印手續〕　裁判所がした不在者その他の者の財産の封印に關する手續は、なお家事審判法施行法による改正前の非訟事件手続法の規定に従い、家庭裁判所がこれを処理する。但し、家事審判法施行法による改正前の非訟事件手続法の規定中、区裁判所とあるのは、家庭裁判所、判事とあるのは、家事審判官、書記とあるのは、家庭裁判所の書記官と読み替えるものとする。

二　民事調停法關係參考文獻

1　全般的なもの

池田寅次郎　仲裁と調停　岩波書店　昭和七年
池田寅次郎　調停（岩波法律學大辭典）　岩波書店　昭和一一年
井倉　均　調停による私法關係の修正（司法研究二九輯一七號）　昭和一六年
小川保男　調停の研究　日光書院　昭和一九年
小野木常　調停と裁判　法學論叢四四卷三號　昭和一六年
小野木常　滿洲國における巡回調停（批評と紹介）　法學論叢四八卷二號　昭和一八年
小野木常　外地に於ける民事爭訟調停と滿洲國調停法　法學論叢四八卷一號　昭和一八年
小野木常　調停法概說　有斐閣　昭和一八年
小野木常　調停手續の構造　法學論叢四三卷四、六號昭和一五年
恒田文次　借地借家金錢債務各調停法運用上生ずる問題について（司法研究二一輯報告書集一）
齋藤常三郎　調停ならざる場合の裁判（法律新聞四六〇七號）
最高裁事務總局　わが國における調停制度の沿革　昭和二六年
中島弘道　調停條項とこれに關する一考察（法律時報一二卷六號）昭和一五年
根本松男　民事裁判制度の改革と調停前置主義（法律時報一二卷一號）昭和一五年
福井才一郎　現行爭議調停法輯覽　明倫館　昭和八年
穗積重遠　調停法（現代法學全集）　日本評論社　昭和四年
牧野英一　調停制の展開　法律時報一一卷五號　昭和一四年
馬淵健三　調停制度の研究（司法研究一九輯九）　昭和一〇年
三宅正太郎　調停法（新法學全集）　日本評論社　昭和

一二年

宮崎　澄夫　調停法の理論と實際　東洋書館　昭和一七年

水本　信夫　實例手續借地借家商事小作勞働調停法總攬　大同書院

水本　信夫　調停法の文化的價値（法律新聞二一四四號）

安田　幹太　私法轉化の段階としての調停法（法學協会雜誌五一卷四號）昭和八年

2　借地借家調停法に關するもの

今村恭太郎　震災後の借地借家調停の結果と新借地借家臨時處理法實施に就て（法曹會雜誌二卷一〇號）大正一三年

遠藤登喜夫　帝都震災後の借地借家爭議調停の概略（日本法政新誌二一卷一號二號五號）大正一三年

千種　達夫　地代の値上と裁判上の和解調停（法律新報七四五號）

千種　達夫　最近の調停事件の傾向（民事裁判資料一五號最高裁判所民事局借地借家關係資料㈠）

長島　毅　借地借家調停法の申立件數に現われたる二、三の事柄（法律時報三卷一號）昭和六年

長島　毅　借地借家臨時處理法講話

廣瀬　武文　借地借家法　日本評論社　昭和二五年

穂積　高遠　大震火災と借地借家調停法（法學協會雜誌四二卷五號）大正一三年

法律新聞社編　借地借家調停法精義　法律新聞社

水本　信夫　改正借地借家法と調停法　大同書院

安武東一郎　調停と借家問題（判例五輯）

我妻　榮　借地借家調停法（岩波法律學大辭典）

3　小作調停法に關するもの

石橋　信　農地調整法論　良書普及會　昭和一五年

木村　靖二　農地調整法解説　昭和一三年

末弘嚴太郎　小作調停法大意

末弘嚴太郎　農村法律問題　改造社　大正一三年

帝國農會　農地調整法詳解　昭和一四年

長島　毅　小作調停法講話　清水書店　大正一四年

4　商事調停法に關するもの

武田貞之助　商事調停法論　昭和二年

長島　毅　商事調停法解說　巖翠堂書店　昭和二年

5　金錢債務臨時調停法に關するもの

伊達　俊一　金錢債務調停法解說　清英社　昭和七年

金錢債務調停法精解（政府說明、中央社昭和七年纂輯）

小原　直　金錢債務臨時調停法義解　巖松堂　昭和七年

小田島禎二郎篇　農村負債整理組合法の實際　銀行信託通信社　昭和八年

奧野　健一　金錢債務臨時調停法の註解　法律時報四卷一〇號　昭和七年

黑河內　透　農村負債整理組合法解說（判民二八卷五―八號）

小平　權一　農村負債整理組合法の要旨（法律時報五卷五號）

長島　毅　金錢債務臨時調停法解說　清水書店　昭和七年

中川善之助　金錢債務臨時調停法の實績（法學三卷九號）昭和九年

牧瀨　幸　金錢債務臨時調停法の解說と其活用　大光館　昭和七年

水本　信夫　金錢債務調停法を育む時流（法律新聞三四五三號）

武藤運十郎　金錢債務臨時調停法の戰術的解說　借家人社　昭和七年

吉田　久　金錢債務臨時調停法の實際知識　昭和八年

6　人事調停法に關するもの

片山　哲　人事調停法概說　巖松堂　昭和一四年

佐野　福藏　人事調停法講話　松山房　昭和一四年

末川　博　經濟統制と人事統制　河出書房　昭和一四年

末川　博　人事調停法解說（民商法雜誌九卷五號）昭和一四年

根本　松男　人事調停法（附民法改正の重點）清水書店　昭和一五年

武藤運十郎　人事調停法の解說と手續　家庭法律社

昭和一四年

7　鑛害調停に關するもの

平田　慶吉　鑛害賠償規定解説　有斐閣　昭和一四年
（民商法雜誌九卷五、六號）昭和一四年

平田　慶吉　鑛害賠償規定の制定（法律時報一一卷三號）昭和一四年

8　戰時民事特別調停に關するもの

奧野　健一　戰時民事特別法の意義（法學志林四四卷九號）昭和一七年

齋藤・梶村・磯部　戰時司法特別法（司法資料別册一三號）

9　民事調停法に關するもの

打田　畯一　民事調停法について（法律時報二三卷八號）

兼子一、柳川眞佐夫、久米愛「調停」疑なきにしもあらず（座談會）ジュリスト二〇號　昭和二七年

最高裁判所事務總局民事局　民事調停法規の解説（民事裁判資料二五號）

橋　喬　民事調停法について　法曹時報三卷七號

橋　喬　民事調停規則及び調停委員規則について（法曹時報三卷一〇號）

野間　繁　調停法規の綜合調整（法律論叢二五卷四、五號）

堀內節、大橋誠一、森盛一郎、秋根久太、加藤晃、大濱英子、鹽原しづか　調停制度の發展のために（座談會）（ジュリスト二〇號）昭和二七年

宮崎　澄夫　調停ということ—その理念と實踐についての若干の考察—（ジュリスト二〇號）
昭和二七年

山端　年樹　新しい民事調停の手續と文例　布井書房
昭和二六年

有斐閣編集室　民事調停の實情（ジュリスト二〇號）
昭和二七年

〃　家事調停の現況（ジュリスト二〇號）昭和二七年

10　家事調停に關するもの

小石　壽夫　家事調停に關する一つの調査報告　判例

タイムス六

武中　淺一　家事審判申立書式要綱　大雅堂

山木戸克巳　家庭事件の審判と調停（法文三巻三、四號）

山木戸克巳　家事調停における審判（私法二號）昭和二五年

吉川大二郎　家事審判法における審判・調停・訴訟の關係（法律文化三巻三、四號）

三　調停に關する判例

附　和解に關する判例

この表は、判例の日附、判旨の要約、判例の掲載誌、詳釋の掲載誌を示して、讀者の便宜に供しようとするものである。

略　語　表

民一判＝第一民事部判決
民二決＝第二民事部決定
二小判＝第二小法廷判決
　集一二卷一五五五頁＝大審院（又は最高裁判所）民事判例集第一二卷一五五五頁
判民昭和五年五八加藤正治＝判例民事法昭和五年度第五八事件加藤正治評釋
論叢＝法學論叢
民商法＝民商法雜誌
法協＝法學協會雜誌

調停に關する判例

昭和三・三・五　大阪控民二決棄却法律新聞二八二二號一四頁

商事調停の申立により假處分手續は中止すべきものでない。

昭和五・四・一二　民三決棄却集九卷九號五九一頁、判民昭和五年五八加藤正治

商事調停の申立により破産申立手續を中止すべきものでない。

昭和六・一〇・二一　民四決棄却集一〇卷一一號九二一頁、判民昭和六年九五穗積重遠

商事調停の申立により競賣法による競賣手續を中止すべきものでない。

昭和六・一〇・二九　民一判棄却法學一卷三號一五〇頁

借調法三條により調停の申立が却下されたときは、訴訟手續を中止しなかつたことは違法でない。

昭和八・六・二〇　民五決取消棄却集一二卷一五號一五五五頁、判民昭和八年菊井維大

ある時期以後の賃料は當事者の協定によるべき旨を

一條項とした土地賃貸借の調停に對しては協定なき以前に執行文を付與しえない。

昭和一〇・二・一八　民一決棄却集一四卷二號一三二頁、判民昭和十年兼子一、民商法二卷一號一二四頁薄根正男、法と經濟三卷六號九八八頁後藤清

金調法五條による調停申立却下決定に對しては、抗告を以て不服を申立てえない。

昭和一一・七・二八　民二決棄却集一五卷一八號一五三五頁、判民昭和一一年一〇二兼子一、民商法五卷三號五四三頁後藤清

借調法三條による調停申立却下決定に對しては不服を申立てえない。

昭和一二・九・二五　民四判棄却集一六卷二一號一四七六頁、判民昭和一二年一〇三齋藤秀夫、民商法七卷四號六九八頁中村宗雄、法學新報四八卷五號七六一頁黑川眞前

商事調停申立受理後の判決言渡は、調停不成立のときは違法でない。

昭和一三・六・二一　民二判棄却集一七卷一四號一二六三頁、判民昭和一三年八〇林千衞、民商法九卷一號六〇〇頁後藤清、法と經濟一〇卷六號八五三頁板木

借地調停申立受理後の判決言渡は、調停不成立のときは違法でない。

昭和一三・一・二七　民四判棄却集一七卷二二號二二八五頁、判民昭和一三年一四〇野田良之

金錢債務調停の內容をなす契約關係は民法の規定により、不履行を理由として解除しうる。

昭和一四・一一・二一　民二判破毀自判集一八卷二〇號一三〇一頁、判民昭和一四年八三菊井維大、民商法一一卷四號六五五頁村松俊夫

小作調停調書に對する請求異議の訴の管轄裁判所は調停手續を行つた裁判所である。

昭和一五・七・二〇　民三決棄却集一九卷一五號一二〇五頁、判民昭和一五年六八豊崎光衞、民商法一三卷一號一四一頁永澤

商事紛爭でないとして商事調停申立を却下した決定に對しては不服を申立てえない。

昭和一六・一〇・二九　民三判棄却集二〇卷二二號一三六七頁、判民昭和一六年八五川島武宜

債權者のなす金錢債務臨時調停の申立は時効中斷の効力を有する。

昭和一八・五・一八　民一決棄却集二二卷一一號三九

〇頁、法協六二巻一號一四五頁菊井維大
調停に代る裁判は基本たる請求權の成立につき爭ある場合にもなし得る。
昭和一八・六・二九　民一判破毀差戻集二二巻一四號五五七頁、法協六二巻三號四〇七頁吾妻光俊
調停成立による訴の取下は時効中斷の効力を失わしめない。
昭和一八・七・二三　民一判棄却集二二巻一六號七〇八頁、法協六二巻七號七九三頁菊井維大
借地調停が判決の言渡を妨げる目的で申立てられたときは訴訟手續を中止するを要しない。
昭和一九・八・一〇　民三判棄却集二三巻一六號四三五頁
金錢債務臨時調停不成立の通知後極めて短期間内になされた調停に代る裁判は有効である。
昭和一九・八・一七　民三決棄却集二三巻一六號四八八頁
地方裁判所に係屬した控訴事件の自廳戰時調停においてなされた調停に代る決定に對する抗告は大審院の管轄に屬する。
昭和二〇・三・九　民一決取消差戻集二四巻三號九一頁
内容が衡平妥當を缺く第二審の戰事調停でなされた調停に代る決定に對しては上告裁判所に抗告をなしうる。
昭和二四・八・二　二小判棄却集三巻九號三〇五頁、判例研究三巻三號一四頁兼子一、溝呂木商太郎
金錢債務調停又は戰時調停の申立により訴訟手續を中止するかどうかは受訴裁判所の自由裁量に屬する。
昭和二七・二・八　二小判棄却集六巻二號六三頁
他人の土地の讓渡を約した調停は無効でない――再度の調停申立に基いてなされたところのさきに一旦成立した調停の內容と異なる「調停に代る裁判」は當然無効ではない。

和解に關する判例

大正六・九・一八　民一判破毀差戻錄二三輯一三四二頁、裁判上の和解における意思表示の瑕疵
大正九・七・一五　民二判破毀差戻錄二六輯九八三頁、裁判上の和解の性質とその解除
大正一一・七・八　民三判破毀差戻集一巻七號三七六頁、裁判上の和解の性質、その無効と訴訟係屬

大正一三・八・二　民三決棄却集三卷一一號四五九頁、裁判上の和解と既判力・調書の作成、その無効と訴訟係屬

大正一四・四・二四　民二判破毀差戻集四卷五號一九五頁、裁判上の和解の無効確認の訴

昭和三・三・七　民三判破毀差戻集七卷二號九八頁、和解調書に對する請求異議の訴と民訴五四五條二項

昭和五・四・二四　民一決取消差戻集九卷六號四一五頁、和解調書の執行力の及ぶ範圍

昭和六・二・二〇　民五決棄却集一〇卷二號七七頁、和解調書の更正決定をなしうる場合

昭和六・四・二二　民三決取消差戻集一〇卷七號三八〇頁、訴訟上の和解の性質、その無効と訴訟係屬

昭和六・一二・一八　決定取消・棄却判例彙報四三卷六號二八四頁、起訴前の和解調書に對する請求異議の訴の管轄裁判所

昭和七・四・一九　民五決棄却集一一卷七號六八一頁、家屋收去土地明渡の裁判上の和解と和解前の家屋の賃借人

昭和七・一一・二五　民五判棄却集一一卷二〇號二一二五頁、裁判上の和解と再審

昭和九・一〇・四　民一決棄却集一三卷二一號一八六四頁、和解調書の執行力の及ぶ人的範圍

昭和九・一一・二六　民一決棄却集一三卷二三號二一七一頁、和解調書による登記

昭和一〇・九・三　民二判棄却集一四卷二一號一八八六頁、裁判上の和解の性質、その無効と訴訟係屬

昭和一四・八・一二　民四判棄却集一八卷一四號九〇三頁、裁判上の和解の性質、その無効、調書に對する請求異議の訴と民訴五四五條二項

昭和一五・三・五　民二判棄却集一九卷四號三二四頁、和解調書の既判力

昭和二六・四・一三　第二小判棄却集五卷五號二四二頁、裁判上の和解の執行力の及ぶ人的範圍

昭和二七・二・八　第二小判棄却集六卷二號六三頁、係爭物に關係なき物の給付を約した和解

事 項 索 引

つ

て

と

に

の

は

ひ

著者略歴

昭和17年　東京帝國大學法學部卒業
昭和22年　北海道大學助教授
現　　在　北海道大學助教授

昭和二十八年三月十五日　初版第一刷發行
昭和二十九年六月三十日　初版第二刷發行

民事調停法概説

著作権所有

著作者　小山《こやま》　昇《のぼる》
東京都千代田區神田神保町二ノ十七
發行者　江草四郎
東京都新宿區山吹町一九八
印刷者　有馬彌市

發行所　東京都千代田區神田神保町二丁目十七番地
株式會社　有斐閣
電話九段(33)〇三二三・〇三四四
本郷支店　文京區東京大學正門前
京都支店　左京區北白川追分町一

印刷　東和印刷株式會社
製本　稲村製本所

Printed in Japan

民事調停法概説（オンデマンド版）

2013年2月15日　発行

著　者　　　小山　昇
発行者　　　江草　貞治
発行所　　　株式会社 有斐閣
〒101-0051　東京都千代田区神田神保町2-17
TEL　03(3264)1314(編集)　03(3265)6811(営業)
URL　http://www.yuhikaku.co.jp/

印刷・製本　　株式会社 デジタルパブリッシングサービス
URL　http://www.d-pub.co.jp/

©2013, 小山昇 AG583

ISBN4-641-91109-6　Printed in Japan

本書の無断複製複写（コピー）は，著作権法上での例外を除き，禁じられています